fortz mas chascaus
oruitz. Que uos consiron ara
minat licoing. per ques io
uens affrop bauditz. E uos ena
pellon coz nuitz.
os uei que dambas las patz
uems. bauzatz. per lauzen
giers beuatz. Anpiur elems ma
ma non posc trimer del fan.
Quen lasima en laiaitz. vei
lauoleza cor elitz.
amor eradores uan de fur. p
louems ques elama uenautz.
Lomais el plus apenas ao qs

EL TESTAMENTO DEL TROVADOR

Títulos del autor publicados por Editorial Atlántida

El sueño del hacedor de mapas

•

El testamento del trovador

•

Testamento del Trovador

James Cowan

Traducción:
Rolando Costa Picazo

EDITORIAL ATLANTIDA
BUENOS AIRES • MEXICO • SANTIAGO DE CHILE

Adaptación de tapa: Claudia Bertucelli
Diseño de interior: Natalia Marano

Título original: A TROBADOUR'S TESTAMENT

Publicado de acuerdo con Shambhala Publications, Inc., Boston
 Primera edición publicada por
EDITORIAL ATLANTIDA S.A., Azopardo 579, Buenos Aires, Argentina.
Hecho el depósito que marca la ley 11.723.
Libro de edición argentina. Impreso en España. Printed in Spain.
Esta edición se terminó de imprimir
en el mes de abril de 1999 en los talleres gráficos
Rivadeneyra S.A., Madrid, España.

I.S.B.N. 950-08-2107-9

Para Wolfgang y Gabriela

No hacía más que decirme que era insensato renunciar al bello juego de combinar palabras bellas, y que no había ninguna razón para buscar una sola, y quizás imaginaria, palabra.

–Jorge Luis Borges

La razón para escribir es resguardar algo de la muerte.

–André Gide

Contenido

1 Una llamada telefónica

Después de la cena las llamadas telefónicas con frecuencia traen noticias de gravedad, pero en este caso me aguardaba una sorpresa. Mi amigo R., que durante toda su vida había padecido de una obsesión por la arquitectura medieval, me llamaba desde su última incursión en el sudoeste de Francia, esta vez para informarme que acababa de descubrir algo inusitado. En la diminuta ciudad de Ussel había tropezado con un *rouleau de mort*, un rollo de muerte, en el museo de la localidad, que anteriormente era la vieja Chapelle des Pénitents.

—¿Un rollo de muerte? —le pregunté, un poco amodorrado por el vino de Burdeos de la mesa—. ¿Pertenece por casualidad a alguien que yo conozca?

—Por supuesto. A tu amigo Marcebru. El

poeta del siglo XII que citas hasta causar náuseas —respondió R., fastidiado por mi aire casual—. Lo descubrí en una pila de papeles en el museo.

Me enderecé en la silla. Encontrar un manuscrito inédito perteneciente al gran trovador poeta Marcebru, unos ochocientos años después de su muerte, era por cierto un golpe maestro. Que el documento fuera un rollo de muerte hacía el descubrimiento más intrigante, puesto que tales rollos, por lo general, estaban en posesión de amanuenses o frailes ambulantes durante la Edad Media.

—¿Qué prueba tienes de que le perteneciera a él? —le pregunté, ya que podía ser una falsificación. Como especialista en poesía francesa, sobre todo en la obra de François Villon, yo estaba consciente de la importancia del descubrimiento, en caso de ser verdad. Poseemos menos de cuarenta poemas de Marcebru, por lo que cualquier nuevo hallazgo incrementaría de manera considerable nuestro conocimiento de este notable aunque irascible poeta.

—El tono, *mon vieux*. El sabor de los versos que aparecen en la conclusión del rollo de muerte. Nadie, salvo Marcebru, podría crear líneas como éstas —anunció R., esperando disipar mis dudas. Luego procedió a recitar por teléfono una cantidad de oscuros versos sonoros en la antigua lengua provenzal, versos que de inmediato reconocí como de Marcebru por lo poderosos y austeramente resonantes:

Per savi-l tenc ses doptanssa
Cel qui de mon chant devina
So que chascus motz declina,
Si cum la razos depleia,
Qu'ieu mezeis sui en erranssa
D'esclarzir parau l'escura.

Al hombre que oiga mi canción
Y entienda cada palabra
Mientras se desarrolla el tema,
habré de considerar
Sabio por cierto, pues yo mismo
Me preocupo con la tarea de
Esclarecer la oscuridad de las palabras.

—Me has dejado mudo —murmuré.

—Los poetas nos hacen estas cosas, ¿no crees? —observó R., convencido de la importancia de su descubrimiento—. Mejor vienes lo antes posible. Estoy seguro de que otros investigadores se apresurarán a echar un vistazo al rollo de muerte cuando se sepa de su existencia. De todos modos, creo que el contenido es explosivo. Puede prenderse fuego en tu ausencia.

Con esto, colgó.

Yo había estudiado la lírica de los trovadores medievales y aprendido a respetar su visión inmaculada, la alegría que supieron desplegar en su época. Le hicieron un regalo a aquellos momentos difíciles, cuando la voz de la libertad estaba amenazada por la intolerancia religiosa y los cataclismos sociales. La gente necesitaba oír que sus poetas se expresaran con frases que se sobreponían a la ordinariez de la existencia, frases más sutiles que las del dogma o las creencias.

Marcebru compuso su poesía en el siglo XII, durante la gran edad de maestros como Abelardo, Guillermo de Saint-Thierry y San Bernardo, el fundador del monaquismo cisterciense. Era una época, también, en que la vida en el castillo daba paso a una vida más espléndida en las ciudades. Desprovista de su papel feudal como escudo contra la invasión de los bárbaros, la vieja nobleza iba cediendo su supremacía financiera y gran parte de su fuerza política a una emergente clase mercantil cuya riqueza ya empezaba a afectar la prosperidad de ciudades como Tolosa, Montpellier y Marsella.

Como resultado de su importancia declinante, los nobles muchas veces llevaban una vida de libertinaje. Para ellos, el matrimonio no era más que un contrato comercial cuyo propósito era procurar territorio o una alianza familiar. De esta manera, en el sur de Francia, en una región conocida como *langue d'oc* (la tierra del sí), un letargo espiritual se había apoderado de la Iglesia y la herejía esparcido por todos los resquicios de la vida. No obstante, tanta confusión moral inevitablemente dio origen al deseo de un nuevo y distinto código de conducta. El amor, esa felicidad lograda mediante *jois*, era visto ahora como un ideal al que aspiraban todas las personas sensatas de la época.

El autodominio, la paciencia y el refinamiento, tanto en los modales como en la forma de hablar, eran considerados los principales ingredientes de la conducta cortesana. *Jovens,* —es decir, una juvenil generosidad de espíritu— también se consideraba importante para la adquisición de *pretz*, o una buena reputación cortesana. La persona aspiraba lograr un estado de *valors*, o una condición de valor moral innato, que trascendía hasta la ética cristiana. También se consideraba a la moderación como un logro valioso. Conocida como *mesura*, era la habilidad de seguir el curso de acción más adecuado a las exigencias de las convenciones sociales y cortesanas con el fin de explotar los talentos, aspiraciones y cualidades de la persona.

Éstos eran los nobles ideales que me sedujeron lo mismo que habían seducido a Marcebru, mi poeta. Lo consideraba "mi poeta", agradecido por los conocimientos que me brindara con mi reciente adopción como guía. Escuchaba sus poemas como a mi conciencia: su voz se había convertido en la voz interior que durante mucho tiempo me había negado a escuchar. El hallazgo del rollo de muerte era tan importante para mí como había sido el descubrimiento de la piedra Rosetta para Jean-François Champollion, el hombre que descifró los jeroglíficos egipcios. Él y yo éramos aliados en el misterio del lenguaje como vehículo de revelación y crecimiento.

Los rollos de muerte eran una forma popular de ensalzar el deceso de personas importantes desde el siglo IX hasta el XV en Europa. Escritos por lo general en latín, los rollos se hacían en pergamino y eran usados por miembros de las órdenes religiosas para conmemorar la muerte reciente de un abad u otro clérigo muy querido. En manos de frailes ambulantes, estos documentos viajaban por la región y eran desplegados en una mesa de refectorio, donde recibían una nueva consignación de palabras. En el transcurso del viaje de monasterio a monasterio, se iban agregando píos epitafios, poemas, meditaciones o reminiscencias personales, creándose así un retrato del muerto. El rollo de muerte era el documento final sobre la vida de una persona escrito por quienes la conocieron mejor.

¿Cómo no había sido descubierto un documento así en la Chapelle des Pénitents de Ussel todos estos años? Más importante, ¿por qué estuvo ese rollo de muerte en posesión de Marcebru? ¿A qué muerto estaba dedicado? Éstas fueron las preguntas que surgieron de inmediato. Me daba cuenta de que estaba en la pista de algo importante. Si uno de los poetas más grandes de su época había decidido hacer un viaje de penitencia en memoria de un amigo, entonces cualquier información que impartiera el documento sobre el muerto probablemente arrojaría luz sobre la vida de Marcebru, que hasta ahora era desconocida.

La llamada telefónica de R. me había abierto una puerta, trayéndome un mensaje de Marcebru a través del tiempo y del nebuloso amanecer de la muerte. Exigía mi presencia entre las erosionadas y devastadas mesetas de lava de la Dordogne, cargadas con el recuerdo de antiguas erupciones. Él no estaba muerto, después de todo, sino tan sólo languideciente en la bóveda de un museo, víctima del abandono. Este maestro del *entiers cuidars* (pensamiento integrado), que entendía la naturaleza y lo que hay más allá de ella tan bien como un guía, me había embelesado desde el principio. Yo era su discípulo y recitaba sus palabras como propias.

La existencia de un manuscrito inédito asociado con la vida del poeta me estimuló más de lo que estaba preparado a reconocer. Últimamente había tomado conciencia de una cierta lasitud en mi comportamiento, condición que con renuencia aceptaba como parte del envejecimiento. Sin embargo, algo dentro de mí buscaba hacer contacto con el poeta como una persona que vivió con mayor intensidad, que vio las cosas con mayor claridad y que estuvo dispuesto a arriesgarlo todo en la consecución de su objetivo. Éstos eran valores que yo aún admiraba en secreto, aunque me hubiera visto forzado a abandonarlos en mi propia vida.

Llenando mi vaso con el vino del poeta, resolví en ese momento rescatar su testamento final del anonimato. Sabiendo que disponía de varias semanas antes de tener que completar mi monografía sobre Villon para su publicación, pensé que sería posible dedicar algún tiempo para investigar la veracidad del descubrimiento de R. por mí mismo. Fue en ese punto, tarde en la noche, cuando la savia ascendente de las palabras de Marcebru me humedecieron los labios:

Qe scienza jauzionda
M'apres c'al soleilh declin
Laus lo jorn, e l'ost' al matin,
Et a qec fol non responda
Ni contra musart no mus.

El conocimiento que me da placer
Me enseña a alabar cada día en el ocaso
Y al alba, y no contestar
A todo tonto que encuentro
Ni quedarme boquiabierto ante el idiota.

2
Reunión de pájaros

Al pasar por Londres camino a Dover desde mi chalet en Hampshire, me detuve a ver a mi viejo amigo Horace Winterton, conocedor a fondo de la historia francesa, en ocasiones un tanto pedante. Por ejemplo, opinaba que el arte occidental empezó con los muralistas catalanes del norte de España y culminó con la procesión formal de la *Maestà* del Duccio por las calles de Siena en 1308, cuando la obra fue adorada por el público. Insistía en que todo acontecimiento posterior representaba una declinación de lo religioso a lo secular. Esto era algo que él no soportaba: un arte mancillado por lo popular.

Alemán de nacimiento, Horace se había cambiado su nombre, que era Hermann Wintergarten, antes del estallido de la guerra. Sospecho que lo hizo para prevenir la angustia que habría padecido como resultado de la derrota de su país. La predicción de los acontecimientos era una de sus grandes virtudes, así como el deseo de permanecer anónimo una de sus características. Siempre hablaba con un tono de voz que expresaba su sentido inherente de observación y cautela.

Nos reunimos ese luminoso día de verano en un pub de Kew, sobre el Támesis. Abajo, sobre el desembarcadero, había siete cisnes blancos que grácilmente extendían sus largos cuellos hacia atrás sobre el cuerpo, en un grupo que sugería la reunión de ancianos sabios ensimismados en una discusión de cuestiones de importancia.

—Ah, parecería que los siete sabios de Platón se han unido a nosotros —observó Horace mientras tomaba un sorbo de nuestro primer jarro de cerveza amarga.

—Inclusive entre los pájaros la discusión es a veces de capital importancia —dije—, lo mismo que para los filósofos.

—Como sabemos, los trovadores eran descubridores —reflexionó Horace en voz alta, comulgando con los cisnes—. El nombre *trobador* deriva del verbo *trobar*, que en francés moderno nos da el verbo *trouver*, "encontrar, descubrir". Eso hace que un trovador sea un compositor de melodías nuevas. Viaja a regiones que pocos de nosotros tenemos el privilegio de visitar.

—O que nos atrevemos a visitar —agregué.

—Su raza ya no existe hoy. Imagina una banda de poetas recorriendo los caminos de Inglaterra y componiendo poemas que no sólo avivarían el corazón de cualquier amante que se preciara de serlo sino que lo inspiraría también a tratar de adquirir sabiduría.

—No en esta época —comenté—. La anarquía moral sería más apropiada.

—Éste es el lenguaje de nuestro tiempo. Querido amigo, abandona la tentación de interpretarlo. Los hombres como Marcebru adoraban a la Virgen y extendían su reverencia para incluir a todas las mujeres. El culto de adoración de la mujer tiene su origen en el culto de una diosa. María o Afrodita, importa poco cuál. Estos poetas reconocían la existencia de una verdad importante detrás de lo físico: que bajo la devoción platónica, el deseo es capaz de transformar el amor en arte . . .

—Que hoy conocemos como las famosas Leyes del Amor.

—Consideremos la patología de esta emoción. El primer efecto del amor es producir una exaltación mental, un deseo de llevar una vida merecedora del ser amado. Los trovadores se referían a esto como *joi d'amor*. Bajo la influencia de esta emoción se producen otras virtudes. Supongo que todos quienes hayan amado han experimentado la alegría de complacer al otro. Y también el sentimiento de refrenamiento de uno mismo que surge de un encuentro tan impetuoso.

Parecía que la Francia medieval había perdido su capacidad de amar. Demasiadas guerras, demasiadas cruzadas a Tierra Santa, demasiadas alianzas entre ambiciosos reyes y reinas lo habían desolado todo. La gente anhelaba que la virtud volviera a reinar. Querían oír la voz de la razón y la rectitud resonar en su tierra, aunque sólo fuera de los labios de los poetas.

—Quisiera pedirte un favor, si puedo, para cuando llegues a las placenteras tierras de Languedoc.

—Lo que quieras, Horace —respondí.

—Confiere a tus investigaciones un entendimiento que vaya más allá de lo común y corriente. Podría ser que Marcebru deseara que su rollo de muerte permaneciera en secreto. Quizá contenga cosas que él no quería que salieran a la luz del día, por lo menos mientras él viviera.

—¿Sugieres que puede haber deseado ocultar su contenido del mundo?

—Tratas otra vez de interpretar sus motivos. Supongamos que Marcebru, un hombre de complejas y oscuras tonalidades en todas sus manifestaciones, tuviera algo importante que decir, pero para *otra época*. Que muy bien podría ser hoy.

—Por implicación, entonces, temía ser mal interpretado en su propio tiempo.

—¿No es así con los tontos, los profetas, y los que hablan con enigmas?

Mientras tanto, los cisnes del desembarcadero habían empezado a dispersarse. Enderezando el cuello y contoneándose, empezaron a acercarse a la orilla del agua, entraron y nadaron hasta el medio del río. Sin darme cuenta, me quedé absorto en sus movimientos, observando cómo extendían las alas y ondulaban la superficie del agua. Su simposio, al parecer, había concluido.

3
La tierra del sí

Horacio era una excelente fuente de información con respecto a la vida del siglo XII en la región conocida hoy como Aquitania. Junto con una cantidad de otros poetas importantes, Marcebru escribió sus poemas en el reinado de Leonor, hija del duque Guillermo de Aquitania, considerado el primer trovador. Los escritos de Guillermo contienen un nuevo espíritu de caballerosidad e individualismo, que era con frecuencia blasfemo, erótico, amoral y sensible. Se dice que este gran cruzado pintó sobre su escudo un retrato de su amante, asegurando que era su voluntad llevarla al campo de batalla, así como ella lo había llevado a su lecho.

Leonor, por su parte, a pesar de dos matrimonios desastrosos y una cantidad de intrigas contra sus maridos, Enrique II de Inglaterra y Luis VII de Francia, llegó a ser una gran patrona de las artes. Según Horacio, Leonor presidió sobre la elevación del amor a un nuevo nivel de sensibilidad.

Se lo conocía como *fin' amors*, el amor distante, y sólo podía lograrse renunciando al amor inmediato, íntimo y engañoso que por lo general caracterizaba las relaciones entre hombres y mujeres. El ideal profano de una felicidad gobernada por los sentidos se transformaba en una forma más refinada de amor, dominada por la imaginación. La razón se sobreponía al amor sensual. Lo que los trovadores buscaban celebrar en su poesía era el anhelo de la dama trocado en un hermoso y esclarecedor recuerdo.

Horace insistía en que esta nueva sensibilidad, conocida como *gai saber* (gaya ciencia), se había inspirado en sentimientos de resignación y desesperación entre los miembros de la aristocracia.

—Las personas estaban hartas de la venalidad —decía—. Querían algo más, una posibilidad imaginativa que sólo podía darles la poesía. Para los poetas, que reflejaban la confusión de su tiempo en sus poemas, la sumisión total al amor, que denominaban *Amors*, era el único camino a la felicidad.

—Un sendero pedregoso, por cierto.

—Pero que hacía que el riesgo valiera la pena. Arnaut Daniel, el juglar de Périgord, lo dijo con gran propiedad.

Y Horacio recitó:

Qu'Amors mi cuebr'e.m cela
e.m fai tenir ma valor
e.m capdela

El amor se extiende y me ampara,
Me hace ser fiel a mi virtud,
Y dulcemente me sirve de guía.

—El amor, al parecer, empezaba a reemplazar a la hidalguía como código de conducta —sugerí.

—¿De qué otra forma tolerar una época empecinada en reducir la sonrisa a una helada expresión de engaño?

—¿Era tan infeliz la gente?

—La Iglesia estaba en decadencia, la herejía maniqueísta, tal cual la practicaban los cátaros, iba en aumento, el dualismo imperaba. El viejo orden se desmoronaba. Es extraño comprobar los efectos devastadores que pueden ejercer sobre el intelecto las viejas censuras y críticas severas. Obedeciendo al rey francés, los hombres del norte se congregaban para aplastar las ciudades y aldeas herejes del sur. A la vanguardia de esta campaña por la ortodoxia se ubicaban grandes clérigos, como San Bernardo y Santo Domingo, reprendiendo y persuadiendo a todos quienes se interponían en su paso. La herejía meridional causó olas de indignación en toda la cristiandad, pues inspiraba una libertad de pensamiento contraria a las doctrinas de la Iglesia.

—Supongo que la gente no estaba preparada todavía para practicar una genuina libertad de pensamiento, por lo menos, durante la era de las Cruzadas.

—La cultura se había vuelto monolítica —prosiguió diciendo Horace—. La Iglesia atacaba a sus propios fieles, hombres bondadosos como Pedro Abelardo y Duns Escoto, reacios a aceptar que la gente siempre se inclinará por aceptar la pluralidad de ideas. Teólogos y clérigos vivían obsesionados con una unidad ideal extendida por toda la cristiandad. Se negaban a aceptar que la vida secular pudiera tener algo que ofrecer. No es extraño que empezara a florecer la poesía en esos tiempos de gran agitación.

Atrapada en los disturbios políticos de la Francia de hacía ochocientos años, la poesía transitó una senda estrecha entre la belleza y el vagabundeo a medida que intentaba reconciliar los instintos mejores de la gente. La celebración del amor se convirtió para muchos en la inspiración que necesitaban para separarse de una vida entregada a lo mundano. Tal celebración inspiró, por cierto, la poesía de Marcebru.

—Casi te envidio —reconoció Horace—. En el rollo de muerte de Marcebru tienes a tu disposición las meditaciones de personas que reflexionaban sobre la muerte de una de ellas. Será como un resquicio por el que podrás ser testigo de su tristeza. Pero puede ser, como el rumor de las hojas de los alisos al caer la tarde, la sugerencia de algo invisible que hace sentir su presencia.

—Tengo algunas dudas con respecto a esta empresa —admití.

—El temor es parte de tu viaje. Depende de ti optar por tomar distancia de su dolor, o abrazarlo como a un amigo.

Y con esto nos separamos.

4

El rollo de muerte

Estaba claro que Marcebru había vivido en tiempos inspirados por el regocijo y la desesperación, basando su poesía en el amor como materia prima. Sobrevivir era simple: entrar en el calabozo de la palabra, aceptar sus restricciones y escapar como un pájaro a través de sus barrotes. Ascender a las ramas altas de la imaginación era la única forma de huir. Allí —razonaba— la libertad florece en una rama.

Yo aguardaba con ansiedad mi primer encuentro con su rollo de muerte a la mañana siguiente. En Ussel esa tarde las campanas de la iglesia parecían repicar celebrando mi llegada. R. me había dejado una amable nota en la recepción del hotel deseándome buena suerte y rogándome que lo excusara por su prematura partida. Al parecer, las ruinas del cercano castillo de Ventadour, viejas piedras que eran como sirenas, lo habían atraído con sus cantos.

Mientras contemplaba por la ventana las luces de un puente que cruzaba sobre un arroyuelo, recordé unas palabras de Marcebru: "El mundo de los hombres es como un gran huerto con arbustos, árboles y sólidos injertos. Cuando echan hojas y florecen son como manzanos. Sin embargo, cuando fructifican, igual que los sauces y los alisos, son pródigos en promesas que les cuesta cumplir".

Era típico de su postura intransigente. Por supuesto, yo estaba de acuerdo con él. Como él, muchas veces me preguntaba por qué la idea de compostura, la práctica de una cierta moderación física, ya no se consideraba importante. Era obvio que Marcebru había hecho un acuerdo de paz con su propia naturaleza, pues de lo contrario no habría hecho esa asociación de su persona con el sauce y el aliso. Si, como árboles, nos encontramos podados o secos, ¿quién tiene la culpa? Marcebru sugería que era el leñador dentro de nosotros, decidido a guerrear con nuestra naturaleza.

¿Quién era este hombre? Según Horace, los hechos son escasos pero productivos. Nacido en Gasconia, hijo de una mujer pobre que fue amada y luego abandonada, Marcebru fue abandonado en la puerta de Lord Aldric del Vilar, que decidió conservar al niño en su casa y criarlo como hijo suyo. Como niño expósito, concebido en una pasión defectuosa y luego socorrido por un aristócrata, Marcebru se desplazaba entre dos mundos: la alcantarilla y el salón.

Al parecer, el lenguaje era el único puente entre ambos mundos. Llevado al extremo por la necesidad de llegar a un acuerdo con su vida, escogió la poesía como baluarte. Marcebru se expresó en una variedad de niveles, los de la elocuencia y en ocasiones los de la ira cuando denostaba la hipocresía de su época. No podía culparlo por ello.

Ussel era una ciudad medieval de torreones y escudos de arma grabados sobre los portales. Por la mañana caminé a lo largo de sus calles adoquinadas hasta la Chapelle des Pénitents, donde estaba guardado el rollo de muerte, esforzándome por no ir de prisa. Había unas cuantas personas sentadas en los cafés de las esquinas, bebiendo algo y leyendo el diario. Yo intentaba dar un aire de despreocupación al pasar, calmo pero a la vez lleno de vigor, paciente y alerta, como una hoja de laurel. Éstas eran las cualidades que creía necesitar en la empresa por delante.

—Ah, ha llegado —dijo el *chef de musée* al verme entrar, dándome la bienvenida.

—¿Me estaba esperando? —le pregunté.

—Pero por supuesto. Su amigo me avisó su inminente llegada. Usted está interesado en el *rouleau de mort* de Marcebru.

—Un pedido inusual, lo sé.

—En estos tiempos hay pocos interesados en las divagaciones de un poeta.

Juntos entramos en la parte principal del edificio. Trajes y armaduras de cota de mallas, alabardas, espadas de doble empuñadura, ballestas y pendones heráldicos que colgaban del cielo raso atestaban el ancho corredor. Entramos en la biblioteca, llena de volúmenes grabados con letras de oro, y cruzamos hasta una mesa sobre la cual yacía un pergamino en un marco de madera pulida.

—Aquí está, *monsieur*. El objeto de su búsqueda —anunció el *chef de musée*.

El hombre desenrolló el documento. Manchado por el agua y frágil, el papel reveló su contenido en forma temblorosa. Las primeras palabras ascendieron como mariposas desde la página, estremecidas e irresolutas, pronunciando su invocación solemne: *Honorabiliter venerandis ac venerabiliter honorandis* (en honor de hombres venerables y la veneración de hombres de honor). Éstas eran las primeras palabras dedicadas a alguien que había muerto hacía tantos años, alguien querido para Marcebru. Yo casi no me atrevía a tocar el arruinado pergamino.

—Ve usted estas manchas de agua. —El *chef de musée* indicó las marcas en el pergamino. —Fueron causadas por un extraño incidente. Según la leyenda, el *rouleau de mort* fue descubierto por un pastor cerca de Ussel, río abajo, mientras buscaba unas ovejas separadas del rebaño. Era una gélida mañana del invierno de 1196. En la orilla del río se encontró con un paisaje congelado, azul y casi luminiscente. El agua se había hecho hielo, y aquí y allí asomaban unas cuantas ramas como espinas.

"Luego notó algo extraño que relucía debajo del hielo. No brillaba, más bien tenía un fulgor tenue, como si ardiera bajo la superficie. Rompió el hielo con su cayado. Allí, acurrucado entre los cristales de hielo, estaba el rollo de muerte que ve aquí. Se había convertido en un objeto congelado.

—¿Había sido arrojado al río —pregunté— y de alguna manera el hielo lo había preservado para que no se deteriorara?

—Marcebru había decidido abandonarlo a merced de las aguas, al parecer. Por qué razón no lo sabemos.

—Es posible que lo arrojara desde el puente que vi desde la ventana de mi hotel.

—Eso, *monsieur*, está más allá de mi capacidad de respuesta. Es difícil comprender la razón por la cual el poeta se desprendió de un documento que claramente le resultaba entrañable. Aunque quizá, y esto no es más que suposición de mi parte, deseaba trascender el plano de lo razonable.

—¿Descarta usted un juego sucio, la impulsividad, un momento de locura?

—No descarto nada. Un *rouleau de mort* es un acto prolongado de meditación, sobre la muerte y todo lo que la acompaña. Cuando un hombre decide recorrer los caminos de esta variada y paradójica región en busca de los recuerdos de otras personas, se involucra en una conversación que va más allá de la razón. Le pide a alguien que comente sobre la ausencia de otro. Para un poeta es su terreno natural. No obstante, hay un momento en que hasta él retrocede. Simplemente, anhela olvidar.

Las observaciones del *chef de musée* me llamaron la atención. Se alcanza un punto en que hasta el más valiente de los hombres puede sentir miedo, o quizás espanto. Puede perder el juicio, único preservador de su razón. Sin embargo, ¿por qué se echaría atrás Marcebru? Me sentía confundido.

—Gran parte de este documento está en latín.

¿Entiende el idioma? —me preguntó el *chef de musée*.

—Estoy falto de práctica —confesé.

—Por suerte para usted un especialista en latín que vive en esta ciudad ha intentado hacer una traducción. Antes enseñaba en la universidad de Tolosa. El hombre ha ocupado sus años crepusculares en traducir este documento. Según un informe reciente, casi ha completado su tarea.

—Nos ha hecho a todos un gran servicio —repliqué.

—Para él, el latín no es una lengua muerta, sino nada más que un idioma antiguo que ha decidido echar una siesta.

La idea de que un idioma pudiera dormir evocó la visión de vastos dormitorios de palabras, todas roncando. Podía oírlo ahora: palabras en asirio, sánscrito, egipcio, en los numerosos idiomas de los indios de las llanuras, abotagados verbos neandertales, ejércitos de adjetivos que alguna vez pertenecieran a los mongoles, todos soñando. Al parecer, el especialista era un filólogo aficionado, que con paciencia traducía los restos de pensamientos en un intento por revivir la conciencia adormilada.

—*Monsieur*. —El *chef de musée* me despertó de mis propios pensamientos. —Le sugiero que visite a este hombre. Hable con él. Vive en la única casa con torreón en la Place Joffre. No es difícil de hallar.

—¿Está seguro de que querrá recibirme?

—¿Por qué no? Ustedes dos están aliados con las palabras perdidas.

El *chef de musée* enrolló el pergamino y salió del recinto.

5
Un amor distante

¿Qué esperaría ganar Marcebru al arrojar su rollo de muerte al río? Caminé hasta el medio del puente en Ussel y miré la plateada hebra de agua que fluía hacia campos lejanos. Traté de imaginar a Marcebru en ese mismo lugar una noche de invierno de 1196, cuando sus dedos aflojaban su tensión sobre el documento. Después de sacudirse por un instante en la corriente helada, desapareció.

Estas meditaciones sirvieron de poco. Quizás el estudioso de latín, heredero de un antiguo y rico lenguaje, podría guiarme en la dirección correcta. No tenía nada que perder si lo visitaba.

Como había dicho el *chef de musée*, su casa era la única residencia en el vecindario de la Place Joffre con un torreón. Me hizo acordar a un helado de cucurucho invertido. En una placa de bronce sobre el llamador podía leerse una frase de Séneca, en latín. Logré hacer una traducción aproximada: “Vive de acuerdo con tu propia naturaleza”.

—En cambio, nos instamos los unos a los otros a abrazar un vicio —murmuré, recordando las palabras siguientes de Séneca.

Al abrir la puerta, el estudioso de latín, canoso y levemente cargado de hombros, me miró por encima de sus anteojos mientras yo me presentaba y le explicaba la razón de mi visita. Escuchó con atención, y luego me invitó a pasar. La voz del hombre irradiaba la rica sonoridad de lecturas bíblicas. No fue sino hasta que hubimos entrado en su estudio cuando me percaté de que tenía una sola mano. La otra había sido sustituida por un gancho.

—Desgraciadamente, la perdí durante la última guerra —explicó, percibiendo mi incomodidad—. Nunca fui competente para encender mechas.

—Supongo que fue miembro de la Resistencia francesa durante la guerra —observé.

El estudioso asintió.

—Aquellos cinco dedos míos desaparecieron hace mucho. Ahora este artefacto curvo de acero, inmune al dolor, sufre todos los abusos a que lo someto. Tengo un gran afecto por su lealtad e inagotable flexibilidad. Me ha servido todos estos años sin una queja. Como el lenguaje, su facilidad, ¿o debería decir su utilidad?, ha mejorado por el uso constante. Ya casi no noto su existencia. Pero basta de esto. Usted está interesado en mi traducción parcial del *rouleau de mort* de Marcebru. Un requerimiento muy extraño —añadió.

—No tan extraño, ya que usted también atesora el documento —comenté.

—Eso es porque he dedicado mi vida a trabajar chambonamente con vehículos de comunicación pasados de moda. Podría usted llamarme mecánico lingüista. Trato de profundizar en pensamientos antiguos con la esperanza de descubrir sensibilidades latentes. Como sabe, se dice que bajo el capot de cualquier lenguaje, sobre todo los antiguos, hay un motor que espera volver a rugir. ¡Muy estimulante! Esas reservas de vitalidad escondidas entre la maquinaria de palabras desechadas ponen a prueba toda mi cautela de erudito. Lo que yo busco en el lenguaje que elijo estudiar es la personalidad de los que han contribuido a formularlo en primer lugar.

—Hombres como Virgilio, Ovidio, Horacio o inclusive Tomás de Aquino —aventuré.

—La sensibilidad de estos hombres impregna el latín a tal punto que me parece oírlos susurrar a mi oído, en la noche, cada vez que opto por abrir un libro y me llevo sus frases a los labios.

El gancho del erudito hendía el aire mientras hablaba.

—¿Por qué Marcebru? —le pregunté—. Si bien gran parte de su rollo de muerte está en latín, él escribía en provenzal.

—Por la única razón de que sus palabras surgen del latín. Su lengua evolucionó de hombres como Virgilio y Marcial. Marcebru es su eco eterno.

Estaba claro que el erudito se había adentrado en un mundo soberbio en que sus pensamientos y sueños habían adquirido una existencia obligada gracias a la ausencia de los de los poetas y pensadores latinos del pasado. Ellos eran reales para él, tan reales como si estuvieran conversando juntos en el foro. A través del prisma del lenguaje él había recreado un arco iris de expresión exquisita desconocido para el resto de nosotros, pues había hecho ese lenguaje eterno.

—Estoy un poco perdido —confesé de manera inesperada—. Desde que me enteré de la existencia del rollo de muerte de Marcebru, he querido saber más acerca de por qué actuaba como su mensajero. ¿Qué llevó a uno de los más grandes poetas de su tiempo a embarcarse en un viaje en memoria de otra persona? ¿Quién era esta persona? Me parece que el rollo de muerte hace peligrar su reputación, pues abre la puerta a la posibilidad de que no pudiera encontrar palabras propias para expresar sus sentimientos. Si un poeta no puede dar expresión a su dolor, entonces ¿qué esperanza tenemos los que quedamos para expresar nuestras emociones más profundas?

—Mi respuesta a sus preguntas sólo puede tomar el camino de la analogía —respondió el estudioso—. Considere el silencio de Marcebru como veríamos a un caballero que acaba de regresar de Tierra Santa después de encontrar la intransigencia de creencias opuestas: musulmanes contra cristianos, el antiguo choque entre la Trinidad y Alá. Tales conflictos le hacen difícil entender la naturaleza de la verdad, y entonces empieza a dudar de su propia capacidad para creer. Su fe se ha escindido. Añora un tiempo en que no se hacía preguntas. En ese momento pierde su capacidad de discernimiento, de articular lo que, en esencia, era una mentira. Se queda sin palabras, pues todas las viejas verdades han muerto.

—La duda lo ha consumido, y entonces ahora carece de su capacidad para afirmar —observé.

—En el caso del poeta, todo su ser nace de la

afirmación. Es posible que Marcebru, ante su pérdida de fe, necesitara preguntar a otros con el fin de recobrarla.

—Acerca de la muerte de alguien, quizá.

El erudito sonrió, pensativo, a medias a mí, a medias a algún recuerdo suyo.

—La persona a quien usted alude —dijo— era nada menos que una dama, Amédée de Jois, su *fin' amors*. Era la hija de un aristócrata, y una dama del velo.

—¿Una monja?

—Eso parece.

Esto me tomó de sorpresa. Yo suponía que el tema del rollo de muerte era otro poeta, o un miembro de la familia adoptiva de Marcebru. Por supuesto, era natural que fuera una mujer, ya que la mayoría de los trovadores hallaban inspiración en la adoración distante de la esposa de un noble. Lo que parecía extraño en el caso de Marcebru era que eligiera como punto de sus sentimientos a alguien que, en teoría, era más inalcanzable aún: una novia de la Iglesia. ¿Cómo podía expresar sus sentimientos mediante un amor tan imposible?

—De manera que viajó por la campiña, visitando monasterios y ermitas, castillos e iglesias, tabernas y posadas, con la esperanza de que otros pudieran arrojar luz sobre lo que para él resultaba lo más distante —sugerí.

—Parece que Marcebru eligió adorar la encarnación de un ideal en Amédée de Jois.

—Como Dante con Beatrice.

—Su tarea, *monsieur*, será investigar las fuentes de este documento con el fin de descubrir por qué lo arrojó al río, y por qué después de eso él desapareció de las páginas de la historia. No sabemos nada de sus últimos años. El verdadero misterio de Marcebru reside en la manera en que desechó su amor, su persona y su presencia aquella tarde de invierno sobre el puente. Hasta que lo sepamos, su fantasma rondará por Ussel, tentando y provocando a gente como usted y yo. Nosotros queremos saber qué constituía su esencia, no como personaje histórico, aunque eso también es interesante, sino como una expresión del lenguaje. Como sabemos, él se movía en el dominio de la palabra. Ése era su país, su reino. Su silencio sobre ese asunto es nuestra desesperación.

—Para esa finalidad, *monsieur*, yo le entregaré todo el trabajo que he completado hasta ahora sobre el rollo de muerte. Con el documento en sus manos, existe la posibilidad de que pueda descubrir información que yo no puedo encontrar. Me ha costado mucho traducirlo; he invertido años desconjugando el latín y oscuros verbos provenzales. Ahora entiendo por qué. Un extranjero como usted, con la necesaria distancia como aliada, es el único que puede develar este misterio. Yo estoy demasiado cerca, me temo. La soledad de esta torre me ha aprisionado en el recuerdo de Marcebru y los pensamientos de sus amigos. Que otros, los que usted encuentre por el camino, que ellos iluminen los pasajes más oscuros del texto, y así revelen al verdadero Marcebru. Yo he terminado por aceptar que todo lo que poseemos es una porción del misterio, nada más.

Mi anfitrión extrajo de un armario un rollo de papel que resultaba ser notablemente parecido al rollo de muerte que había visto en la Chapelle des Pénitents.

—Tómelo, amigo mío —me dijo, ofreciéndome el documento—. Lo que tiene aquí es sólo el comienzo de un viaje, el primer mojón.

Le agradecí al erudito. Me temblaban las manos de anticipación al tomar la traducción del rollo de muerte de Marcebru. Por fin tenía una copia de las memorias de todos los que habían hablado con él, recogidas y registradas con esmero. Ya presentía que estaba entrando en un territorio inexplorado. Marcebru, mi hermano, me había ofrecido su mano.

6

La confesión de un escribiente

El precioso documento estaba por fin en mi poder. Experimenté una sensación de regocijo, casi de victoria, al ver que el rollo de muerte de Marcebru estaba ahora ante mí sobre la mesa junto a la ventana por la que se veía el puente de Ussel. Era como si el rollo hubiera surgido de las aguas.

Al principio, no intenté leer el contenido. Opté, en cambio, por meditar sobre los movimientos de Marcebru aquel frío atardecer de invierno. ¿Habría bebido demasiado en una taberna? ¿Sería la herida de la muerte de Amédée demasiado dolorosa para restañar? ¿Se lamentaría por no haber estado a su lado cuando ella murió? Las preguntas se escurrían, una tras otra, como roedores desesperados por encontrar un bocadillo sabroso.

Marcebru se había pasado la vida confrontando el mayor desafío de la humanidad: cómo hallar la manera de elegir entre la "senda completa" y la "senda fragmentada", un tema explorado en muchos de sus poemas. "Ante estas maneras diferentes de pensar", dice en una de sus declaraciones, "me preocupa hondamente separar la senda fragmentada de la senda completa. Considero que, a través de Dios, el hombre está en armonía con la naturaleza, que puede ser una guía para discriminar entre diversas formas de pensar".

Estaba ante un hombre dedicado a la tarea de discernir, a tal punto que muchos con frecuencia consideraban su obra un tanto confusa. Uno de sus contemporáneos, el poeta Peire d'Alvarnhe, observaba que algunas personas creían que Marcebru era estúpido porque no entendía su propia naturaleza, ni tampoco la razón para la que había nacido. No obstante, su *dreitura*, o rectitud, fascinaba a Peire tanto como a mí. Marcebru estaba consciente de que su esfuerzo por lograr una forma natural de composición en sus poemas muchas veces lo exponía a las burlas de sus trovadores colegas. Lo confiesa en uno de sus poemas:

Al buscar con afán el arte de la composición natural
Llevo el pedernal, la yesca y el acero,
Mientras que poetas indignos, insensatas avispas todos ellos,
Trocan mi canto en un bostezo y lo ridiculizan.

El suyo era un camino solitario. Ya fuera por propia elección o cualquier otra causa, Marcebru se vio forzado a vivir en soledad gran parte de su vida. Quizá, como expósito y aristócrata espurio, no tuvo otra alternativa que lanzarse a una carrera de trovador, ya que la legitimidad de la cuna le había sido negada. Había buscado protección de los dardos del repudio en la legitimidad suprema de la palabra poética.

Contemplando el puente, presentí que en Marcebru había encontrado su hogar un nuevo espíritu, un espíritu que le pedía que explorara mediante el lenguaje todo el alcance y la profundidad de sus sentimientos, por más truculentos o morbosos que resultaran. No porque esos sentimientos se hubieran encarnado en las palabras; más bien, tal era la intensidad de su experiencia que sólo a través de las palabras podían sus sentimientos lograr una vitalidad, y una vida, aparte.

Marcebru se convirtió en el gran expositor del estilo literario denominado *trobar clus*, o "cerrado". Esto involucraba el entretejimiento, dentro del poema, de más de un nivel semántico, y la revelación gradual, para el lector perceptivo, del tesoro oculto bajo la superficie. Era un estilo poético que insinuaba la existencia de cierta verdad moral. Muchos trovadores desdeñaban el uso de esta técnica, sin embargo, abogando en cambio por un estilo claro, que dependía de la belleza simple de la superficie del poema.

Para Marcebru, el hecho de escribir en el estilo *trobar clus* limitó seriamente su público. Quienes consideraban a la poesía como algo más que un entretenimiento cortesano, muchas veces se sentían importunados por el significado poético. Sus poemas podían conducir al lector desprevenido a un cenagal de sutilezas morales del cual no podían salir. Por otra parte, Marcebru no estaba dispuesto a librarlos de tales esfuerzos. Para los que estuvieran preparados a enfrentar el desafío, Marcebru deseaba que su obra fuera considerada como algo concreto, un puente sobre el cual pudieran cruzar. Si optaban por saltar antes de llegar al otro lado, ése era problema de ellos. "Nuestra ciudadela no puede ceder ante los ataques de la mala poesía" era su manera de expresarlo, adaptando una línea de su amado Boecio.

Quizá la razón por la que decidió abandonar su gran amor a merced de las aguas estuviera en el rollo de muerte mismo. Desplegando una parte sobre la mesa de mi cuarto de hotel, me di cuenta en seguida de que por la manera en que se había dispuesto el material, las últimas palabras venían primero. La elección que se me presentaba era entre seguir la ruta del rollo de muerte desde la abadía Saint-Martin, en lo alto de los Pirineos, en los pasos de Marcebru, o hacia atrás desde Ussel, donde el poeta desapareció. En ambos casos la oportunidad de absorber las observaciones de todos a quienes él vio, en el espíritu en que fueron expresadas, era una tentación imposible de resistir.

Finalmente, fue el rollo de muerte el que tomó la decisión por mí. Cuando leí la última anotación en el texto, escrita por alguien llamado Willelmus, un escribiente que —era dable suponer— había amparado a Marcebru durante la noche en Ventadour antes de que el poeta llegara a Ussel, reconocí de inmediato que su poema era tan enigmático como el de su huésped. Claramente también en su elemento en el estilo *trobar clus*, Willelmus había formulado sus pensamientos sobre Amédée de Jois en un lenguaje espinoso. Estas observaciones, sumadas a mi propia curiosidad, me obligaron a empezar mi viaje donde el de Marcebru había terminado, aunque sólo fuera porque deseaba saber lo que había sucedido allí. Leí:

Tocad su ruedo, sobre el que las frases son filigrana.
Hay más en la vida que la muerte.
Ella a quien un día conocisteis, amasteis, y apagasteis
Como a una llama demasiado dolorosa para soportar
Se ha convertido ahora en pira funeraria.
Concededle una audiencia, pero como a una doncella en quien
Toda la belleza de la cesación palpita
Como brasas sobre un trípode junto al templo de Apolo.

¿Era ésta la amarga conclusión de un viaje tortuoso a través del recuerdo, el amor y su pérdida? ¿O, como empezaba yo a sospechar, era la renovación de una antigua unión con la palabra misma?

7
Entre las ruinas

Armado de estas crípticas observaciones provenientes del rollo de muerte, tomé un ómnibus hasta la aldea de Moustier, donde me dirigí a pie al castillo de Ventadour. No tenía razón para creer que encontraría nada allí, excepto ruinas, pero era mi única pista. Si Willelmus había vivido cerca y dado asilo a Marcebru durante sus vagabundeos, entonces existía una posibilidad de que los grandes desfiladeros de Luzege, situados en un hosco e inexpugnable paisaje, me pudieran dar alguna información.

El castillo fue la cuna de otro trovador famoso, Bernard de Ventadour. Hijo de un panadero, fue un notable exponente del *trobar leu*, o estilo poético "simple" que Marcebru despreciaba. Peire d'Alvarnhe lo ridiculizaba por ser hijo de un servidor y porque su madre hacía poco, aparte de encender el horno y juntar ramitas para el fuego. Sin embargo, Bernard fue muy admirado por la gracia de su verso y su sumisión al aspecto puramente romántico del amor. Fue protegido por Leonor de Aquitania y Enrique II, que lo invitaron a asistir a su coronación en Westminster en 1154. Como muchos de sus contemporáneos, Bernard vivió bajo el hechizo de los dardos de Cupido, en la tradición que describía Ovidio en sus poemas eróticos titulados *Amores*.

El sendero a las ruinas olía curiosamente a bellotas. No había robles en la vecindad, pero las piedras pedernalinas y la amplia vista de los desfiladeros de Luzege sugerían el color y la dureza de las bellotas. Me sentí vigorizado por la caminata, como si hubiera tropezado con un inspirado poema de Marcebru. Cuando él hablaba de la áspera temporada de las tempestades y de la estación de la sequía, yo sentía la esterilidad que con frecuencia nublaba su visión. Aquí, en Ventadour, los muros desmoronados murmuraban un desasosegado refrán cuando el viento los atravesaba, haciendo estremecer el brezo en las laderas vecinas.

En una hondonada de la colina junto a las paredes desmoronadas vi una figura vestida con una capa negra, boina vasca y botas puntiagudas, de pie ante un caballete, paleta de óleos en una mano, pintando un paisaje. Acercándome, aunque no tan cerca para perturbar el trabajo del artista, cuya espalda estaba vuelta hacia mí, pude observar el hábil movimiento del pincel sobre la tela. El artista resultó ser una mujer, de unos sesenta años, a juzgar por el rodete de pelo canoso que asomaba debajo de la boina.

Pasaron algunos minutos antes de que entablara conversación con ella. No sé por qué me sentía tan audaz, pero quizá su aspecto austero me infundió confianza. Al mirarla me recordó a los dólmenes de un santuario prehistórico. Allí estaba, y el único objeto de su veneración era la vista de las almenas ruinosas de Ventadour.

Siempre dándome la espalda, la mujer respondía con cortesía mis preguntas sobre su trabajo. Al parecer, tenía la costumbre de viajar de ruina en ruina por la región, buscando lo que ella llamaba "el lenguaje de las almenas". Cuando le pedí que me explicara lo que quería decir con esto, la mujer dijo que las ruinas poseían una poesía propia. Le pregunté si estaba familiarizada con la tradición de los trovadores en Aquitania, y si había oído hablar de Marcebru. Para mi sorpresa, su pincel siguió trabajando sin pausa con las imágenes en la tela.

—Aquellos hombres estaban fuera de su tiempo —observó con una voz melodiosa aunque teñida de la tristeza que proviene de una rica vida interior.

—La poesía, por su naturaleza, condena al poeta al exilio —sugerí.

Saqué luego el rollo de muerte de mi mochila y leí en voz alta los versos de Willelmus como una manera de abastecer nuestra conversación.

—*Monsieur* —observó la paisajista, hundiendo su pincel en el gris de su paleta—. La mujer a la que se refiere es tanto Amédée de Jois como otra, Sophia creo que la llamaban los antiguos. Representa la iluminación de la mente inteligente decidida a descubrir la verdadera constitución de la naturaleza. Willelmus reconoció en la pérdida de Marcebru algo más profundo que la simple tristeza provocada por su muerte. Quizás el poeta perdió el don de ser más que sí mismo, y por eso permitió que la muerte de Amédée oscureciera su paleta.

—¿Qué clase de persona cree usted que era Amédée de Jois?

—No sé nada de su vida. Pero si el hecho de que Marcebru dedicara su vida a su memoria es índice de algo, entonces ella poseía cualidades extraordinarias. Amédée de Jois encarnaba un anhelo que impartió a su poeta. Él, a su vez, la consideraba alguien en quien podía depositar su confianza. Ella compartía con él su solicitud, su profundo, constante, pero productivo desasosiego. ¿Suena esto absurdo? Por supuesto que sólo estoy pensando en voz alta.

—Willelmus la compara con una llama, con una brasa caliente de luz oscilante en el trípode de Apolo. Es obvio que ella fulguraba. El poema que usted recitó le pide a Marcebru que vea a Amédée de Jois no como muerta, sino como alguien capaz de sufrir junto con él. Por más trágica que haya sido su muerte, su finalidad era guiarlo en sus vagabundeos. Ella quería que él creyera que su tiempo sobre la tierra podía estar imbuido de la esperanza de que un día sería dueño de sí mismo, y que con su talento crearía una obra trascendente. ¿No es ésa la tarea del poeta verdadero?

—Eso creo —admití.

—Todos nosotros, según mi opinión, debemos abrigar este deseo en la forma que podamos. Como pintora, yo trato de dar a mis paisajes cualidades que superen la realidad. Por supuesto que es difícil: hay que estar en guardia para no ceder al fuerte deseo de cambiar la realidad. Pero, claro, algunos de nosotros tenemos el defecto de no poder ver el mundo tal cual es. Quizás ésa fuera la dificultad de Amédée de Jois. ¿Quién lo sabe?

La artista se apartó de su caballete, y por

primera vez pudo ver su tela completa. No había pintado las ruinas del castillo de Ventadour tal cual se levantaban ante nosotros, sino el castillo que Bernard, Willelmus e inclusive Marcebru podrían haber conocido. Con un seguro sentido del pasado, la mujer había producido un castillo imaginario con muros inexpugnables, vistas y pendones heráldicos flameando en sus bastiones.

En este punto la paisajista se volvió para enfrentarme; su boina ladeada y capa oscura acentuaban la blancura de su rostro. Usaba anteojos oscuros, del tipo que prefieren los ciegos cuando desean ocultar su mirada vacía. Todo ese tiempo esta mujer ciega había estado pintando un paisaje interior. A través de ella el castillo había vuelto a ser construido con mayor magnificencia aun que antes.

—En cierto sentido, *monsieur*, Amédée de Jois es como yo, una víctima de una herida de toda la vida.

—Pero usted ve el mundo como podría ser —repliqué, maravillado por su destreza y su agudo sentido de la arquitectura invisible del castillo.

—Es la única manera que tengo de compensar lo que me falta —respondió la artista.

En esos pocos momentos de iluminación el castillo se levantaba ante nosotros como una ruina transfigurada.

8
Palimpsesto

El rollo de muerte de Marcebru había dado sus primeros frutos. Sentía yo que Amédée de Jois me había acompañado en mi excursión a Ventadour. Había tocado su ruedo, sentido la filigrana en su corazón. No obstante, su enigma persistía. Parecía que yo estuviera a merced de un texto cuyo significado me era revelado sólo a través del pensamiento de otras personas.

Esta mujer resultaba esencial para mi investigación, pues era ella quien inspirara a Marcebru a hacer su viaje. Para comprender el lugar que ella ocupaba en su vida era necesario estudiar el rollo de muerte en detalle. ¿Qué cualidad especial confería al poeta, aparte de ser la encarnación de un amor elusivo? Por cierto se necesita más que sabiduría o verdad para avivar el corazón de un hombre.

Regresé a mi hotel en Moustier para considerar mi siguiente paso. En la cama desplegué el rollo de muerte y empecé a leerlo. Me convertí en un arqueólogo que examinaba escombros. Las palabras eran como fragmentos de un jarrón decorado que acababa de desenterrar: la imagen completa sólo podía ser imaginada. Una porción de la toga, un brazo, quizás un casco de caballo: eso era todo lo que poseía.

Por supuesto, éstas eran reflexiones personales, no pensamientos muertos. Eran el aliento de inspiración de hombres y mujeres que de alguna manera estaban relacionados con Amédée de Jois y Marcebru. Ellos también compartieron con el poeta su sueño sobre los orígenes, por más débil que pudiera haber sido su visión. Como Amédée y Marcebru, participaron del misterio de no saber por qué actuaban como lo hacían. Tanto Geraldus, Petrus, un tal hermano Udalardus o una hermana Olivia, o los demás a los que Marcebru les había pedido que registraran su pensamiento, todos ellos tenían una cosa en común: una lucha interior para entender a una persona próxima a su corazón.

Se hacía necesario para mí sumergirme en sus palabras, ahogarme en su discurso colectivo. Abades y abadesas, monjes y monjas, caballeros y curas hospitalarios, lecheras y viñateros, toneleros y fabricantes de espadas, frailes y escribientes, nobles y sus damas, todos se habían cruzado por el camino de Marcebru mientras viajaba por Aquitania, a través del reino de Oc. Eran las voces de su tiempo, todos los que querían encontrar sentido en el sinsentido: la muerte de una mujer extraordinaria muerta en lo mejor de la vida.

Empecé a leer al azar, haciendo una pausa luego de cada inscripción para reflexionar sobre el significado:

> "Ella poseía coraje y despertaba el silencio —escribía un tal Guilelmus del monasterio de Savigny—. La buena Amédée de Jois, en vida de la abadía Saint-Martin-du-Canigou, decidió rechazar la felicidad para dedicar su vida a la búsqueda de la victoria. Aquitania llora la quietud de su campana."

• • •

> "Llevad con vos, Marcebru —escribía el fraile Bernardo de la abadía Notre Dame des Chateliers—, el conocimiento de que la Naturaleza se contenta con poco y con pocos. Si tratáis de agregar aditamentos superfluos a lo que a la Naturaleza le basta, vuestra munificencia habrá de disminuir. Recordad que la ausencia con-

tiene en sí no el vacío, sino la obligación que todos debemos adoptar hacia el recuerdo."

• • •

"Marcebru, abandonad esta camisa de crin de angustia que usáis —anunciaba Johannis, un armero de Puy que el poeta conoció en el camino—. Vuestra espada es la palabra. ¿Cómo, no está sepultada en la misma hoja? Blandidla con valor, soldado. La muerte de Amédée de Jois no es más que una escaramuza. Debéis vos mismo participar de su deceso, cruzar la Estigia en un bote de esperanza, pronunciar una palabra que la vaciará de su fermento."

• • •

"Es peligroso el país que atravesáis. Lo que os importa, Marcebru, jamás carecerá del coraje para explorar sus límites exteriores", escribía un trovador, colega de la corte de Poitiers, que viajaba a Albi a hacerse cargo de un nuevo empleo con su nuevo protector.

Por fin leí un breve poema escrito por Cecilia, *titulis sancti*, abadesa del priorato de Saint-Jean-Baptiste, referido a la muerte de Amédée:

Contemplad a Dios en el gusano.
Sabed que en sus entrañas Él yace,
Una serpiente de tierra sin miembros.
Así como el gusano se alimenta de los muertos
Él satisface su hambre
Con ella, delicioso banquete de dolor.

Ésta era mi primera incursión verdadera en la congelada orquesta de palabras. ¡Cómo hacían las notas que su oscura melodía ardiera en mi mente! La paisajista estaba en lo cierto: el gris es el color de las ruinas. Permanecía en pie la pregunta si yo sería capaz de avanzar hacia atrás, más allá de la memoria original, sobre la contribución que le había hecho el tiempo, y entrar en el coto de su inspiración. En alguna parte, en medio de estos elogios, había una borradura, un palimpsesto sobre el cual estaban inscriptos los más profundos anhelos de Marcebru.

¡Marcebru, maldito! Ya empezaba a descarriarme. Su pasión por el ocultamiento urdía su magia. Era un hombre sin ciudad, que no ocupaba ningún lugar específico, un ser solitario, extraño y sin descendencia, sin estructura y por momentos desordenado, que vivía en un designio interno sólo conocido por él mismo. Se había impuesto la tarea de sobrevivir dentro del poema, habitando en un lenguaje como un fantasma, perdiéndose en la belleza y el matiz de un verso expresado a la perfección. ¡Cuánto lo envidiaba! Era un hombre poseedor de un secreto, y se debatía por hacerlo real. ¿Qué era? ¿Qué causa lo había llevado a dedicar sus últimos días a un epitafio?

En Ventadour presencié aquel día una ruina. La pintora había logrado reconstruirla para mí, piedra por piedra. Era mi tarea reconstruir la vida de Marcebru, reunir todos los escombros de su experiencia interior y arreglarlos para que otra vez pudiera mantenerse en pie por sí mismo.

9
Los divinos nombres

Al releer estas anotaciones del rollo de muerte a la mañana siguiente, recordé la advertencia de Horace de que no era posible estudiar el carácter de Marcebru en forma aislada. Marcebru era un hombre de su tiempo, en armonía con las ideas y prejuicios que flotaban en el aire en torno a las mesas de refectorio y en los salones de escuelas catedralicias como las de Chartres, Poitiers y París. Aunque él no hubiera visitado estos lugares en persona ni oído exponer su pensamiento a los grandes maestros, lo mismo habría recogido de otros el tenor de sus conceptos.

En muchas partes de su poesía aludía a la Tierra Santa y a España. *Outremer*, o la región de Palestina, aparece en su obra tanto como un lugar y la metáfora de un paraíso perdido ocupado por infieles. Es posible que visitara Chipre y Acre, y hasta que bordeara los muros de Jerusalén durante sus viajes. Yo sabía que había ido a España con la esperanza de encontrar patronazgo en sus cortes. A pesar de que aborrecía el Islam, había absorbido muchas de sus ideas sin saberlo, lo mismo que los templarios mientras holgazaneaban tendidos en los divanes de *Outremer*. Los teólogos árabes habían embebido el pensamiento griego y el neoplatonismo, que a su vez alimentara el fuego de la mente medieval.

Uno de los pensadores más prominentes era Saint Denis, o Dionisio el Areopagita, como se lo conocía originalmente. Su obra había sido traducida al latín por Hilduin, abad de Saint-Denis. Más tarde Juan Escoto Erígena, un clérigo irlandés, se sintió hechizado por los escritos de Saint Denis, exponiendo sus ideas en dos obras maestras, *De divisione naturae* (Sobre la división de la naturaleza) y un comentario sobre *Celestial Hierarchy* (Jerarquía celestial) de Saint Denis. Tal era el poder de las ideas del monje que atrajeron a Juan Escoto hacia aguas peligrosas. Empezó a sostener una opinión sobre Dios y su creación que en parte era panteísta y por lo tanto en potencia hereje.

—Sostengo —solía decir Horace, citando a Escoto— que no existe nada visible o corpóreo que no signifique lo invisible e incorpóreo. —Escoto aseguraba que el mundo físico no podía ser conocido en su esencia porque no era la causa de nada. No obstante, podía significar un mundo invisible, fuente de ideas divinas, y de esa manera alcanzar una belleza inigualada. Dios se revela a través de la naturaleza por vía de lo que se denomina teofanía. Por ende, la naturaleza debe ser considerada como el espejo de Dios. Estas ideas, tomadas de las páginas de Saint Denis, y por implicación de los duros desiertos de Arabia donde intuición y razón eran con frecuencia inseparables, lugar en que este oscuro teólogo sirio había alimentado su visión en primer lugar, impartían un misticismo a todos quienes caían bajo su hechizo.

Llamaron mi atención a este hecho las observaciones tanto de Guilelmus de Savigny como del armero de Puy en el rollo de muerte de Marcebru. El primero sugería que Amédée de Jois pudo haber elegido la muerte voluntariamente como forma de superar la maleficencia de la naturaleza. Johannis iba más lejos al sugerir que Marcebru debía compartir también el fallecimiento de su amor, "cruzando la Estigia en un bote de esperanza", como lo expresaba sucintamente. Ambas observaciones daban a entender que la victoria, el restablecimiento de un estado primitivo de plenitud, podía lograrse sólo a través de la muerte. Sus comentarios se adecuaban a la creencia de Juan Escoto de que el regreso de todas las criaturas a Dios comenzaba con la muerte.

Se trataba, por cierto, de aguas agitadas. La palabra como espada indicaba la manera en que podía lograrse esa muerte: el lenguaje, el poder y la belleza de un poema bien podían conducir a una muerte perfecta. Hasta ahora, todos los informantes de Marcebru sugerían que el "peligroso país" de la palabra debía ser explorado hasta sus "últimos confines". Nadie, y mucho menos el poeta, podían borrar la memoria. La obligación de todos era apuntalar el vacío por medio de una dedicación permanente a la expresión.

¿Sería la ambición secreta de Marcebru escribir el poema perfecto? ¿Habría creído, hasta la muerte de Amédée, que este poder sólo le pertenecía a él? ¿Entraría el orgullo en la ecuación? Muchas preguntas permanecían sin respuesta, pero sin embargo yo suponía que la decisión de Marcebru de desprenderse del rollo de muerte se relacionaba con ellas de manera irrevocable. Un hombre que respiraba a través de la poesía igual que un pez por sus branquias de seguro no desearía ahogar su voz con semejante acto de censura, a menos que, por supuesto, hubiera descubierto una manera mejor de expresarse.

Eran pensamientos que dejaban perplejo. Yo estaba consciente del peligro de usar técnicas psicológicas para analizar el comportamiento del poeta. Por suerte, él se resistía a que yo redujera sus actos a motivos tan fácilmente explicables. Debido a que sus actos eran tan originales, tan misteriosos, y estaban cargados con los gestos del olivo, antes que del sauce o el aliso, yo tenía la impresión de que expresaba mejor la esencia de sí mismo sólo cuando despotricaba contra la hipocresía de su tiempo y el fracaso de la aristocracia en alcanzar los altos designios que les deparaba el destino.

Pero ¿qué había de Amédée de Jois, cuya muerte lo había inspirado a descender de su olímpica soledad para buscar la expresión de otros? La tentación, por supuesto, era correr a la abadía Saint-Martin, donde había muerto ella, y hacer frente de lleno al enigma, antes de vagar por la campiña, como hacía yo. Eso sería demasiado fácil. El viaje de Marcebru encerraba un misterio que no podía descartarse. Desecharlo sería como disparar contra un ave en vuelo: el ave se desplomaría a la tierra, aliviando así al cielo de la extraña belleza de la gravedad que desafiaba. El peregrinaje de Marcebru era un reto, una tentativa de desafiar y superar una ira profunda, ¿o sería una herida?

La idea de que pudiera haber tratado de escribir el poema perfecto me intrigaba. No era inusual, pues los poetas siempre han creído en el poder del lenguaje. Muchos considerarían a la *Ilíada* de Homero, los Upanishads hindúes o las sagas de Njal de los escandinavos como ejemplos de la manera en que la belleza de la palabra transformó al mundo. Una detonación, una explosión de sonido y pensamiento en el corazón del intelecto son de importancia básica para la naturaleza humana. Desde el punto de vista del poeta y de su público, el mundo es un lugar mejor después de un recital.

Éste era el camino elegido por Marcebru. Había recorrido el mundo en busca de experiencia para componer sus canciones. El hecho de que el mundo no colmara sus expectativas era parte de su dificultad, y de su gloria. Él veía lo que otros preferían ignorar. La regla del Amor, del *fin' amors*, exigía que no se apartara de su búsqueda de la excelencia. Frustrado, descontento, y a veces en pugna con el mundo y consigo mismo, Marcebru, no obstante, arrancaba de la vida lo que deseaba: la materia del canto, la llama pura de la efusión que seguiría siendo por siempre una parte del conocimiento.

Yo lo admiraba por ello. Pero, al mismo tiempo, sentía un fuerte deseo de distanciarme de sus exigencias, creyendo que de alguna manera me inducían hacia algún peligro imprevisto. Quizás Amédée de Jois se habría sentido como yo. Quizás había decidido huir de su influencia. Quizás el amor —y yo debía asumir que su relación se basaba sobre alguna clase de intimidad, aunque fuera amor a la distancia— no fue suficiente para sustentarlos.

Empecé a sospechar que se trataba de una relación más compleja de lo que imaginaba. Marcebru y Amédée de Jois tal vez sondearon el amor hasta el punto en que la única alternativa para ellos era excluir la vida por completo. Guilelmus lo daba a entender cuando escribía que Amédée de Jois había optado por rechazar la felicidad en busca de la victoria. Pero ella, en la muerte ¿dio la espalda a Marcebru?

Mis pensamientos eran un revoltijo. Me había embrollado en el tiempo de Marcebru, en su amor, en su peregrinaje por la antigua tierra de Oc, y ahora cada paso me llevaba más adentro del laberinto. Debía preguntarme si más allá de estas vueltas y curvas se ocultaba el conocimiento de que el abandono del amor terrenal por parte de Amédée de Jois no habría sido sino el preludio de un engaño más complicado.

10
Un paseo campestre

Regresé de una caminata esa tarde y me encontré con un mensaje de R. en la recepción. Me llamó por teléfono durante mi ausencia, y el conserje tuvo la amabilidad de tomar el mensaje. Leí sus crípticas palabras: "Ve a Rocamadour, a la Place Saint-Amadour, donde encontrarás una tienda que vende papel de buena calidad. Pregunta por M. Poulen, el dueño. Tiene información importante para tu búsqueda". Eso era todo.

La evasividad de R. me resultaba irritante. Éramos amigos, pero no por eso tenía derecho para importunarme de tal manera. No obstante, su consejo llegaba en un buen momento. Los nombres de las posadas y abadías entre Moustier y Rocamadour mencionados en el rollo de muerte tenían poco sentido, pues la mayoría habían desaparecido del mapa. Este salto repentino a Rocamadour, aunque sorprendente, ya que Marcebru viajaba a pie, me parecía también abrupto, a menos que yo decidiera ir allá caminando.

Que es lo que decidí hacer. Me encaminé por senderos campestres de aldea en aldea, pernoctando en hoteles soñolientos donde disfrutaba de sabrosas comidas, que pronto me devolvían las energías después de mi caminata diaria. Junto al río Dordogne aproveché su belleza para sentarme a meditar sobre las palabras del rollo de muerte. Cerca de Saint-Cyprien me detuve a contemplar la Chapelle de Rodon l'Espi, una sobria iglesia románica cuyo nombre, según la opinión común, se basa en la expresión latina *rotondo spino*, en honor de un relicario de la Corona de Espinas.

Las ciudades feriales como Sarlat me dieron la bienvenida con sus productos agrícolas; abadías y castillos exhibían sus antiguas maravillas con solicitud y una leve sensación de amenaza. Los frescos medievales en las paredes de los refectorios, las arcadas de columnas alrededor de las plazas de las aldeas, farallones de piedra caliza y obispados góticos, una estatua de Adán y Eva con una serpiente enroscada a su alrededor, un tapiz de San Martín a caballo hendiendo su manto con una espada y cerdos conducidos por los caminos como mulas: todas estas impresiones llenaban mis días a medida que me dirigía a Rocamadour. En Martel me desvié para observar la cresta de los tres martillos ondeando sobre mástiles en memoria de Charles Martel, que venció a los moros en Poitiers en 732.

Los viajes ¿no son para esto: para entrar en los recuerdos de personas y lugares? Empecé a deleitarme por la consideración que me brindaban. La Dordogne esa semana sirvió de vía de inspiración para algunas ideas interesantes: cuanto más estudiaba el rollo de muerte, más me encontraba confundiendo el paisaje por el que viajaba con las palabras de sus anteriores pobladores. Lugar y persona se convertían en uno.

También memorable fue la tarde en que me tendí a descansar bajo un viejo árbol y extraje el rollo de muerte de mi mochila. Las palabras que fluían eran tan límpidas como el agua del río cercano. Una vez más los amigos de Marcebru se levantaron para saludarme, extasiados por el cielo, trayendo consigo ocultas profundidades.

"Os suplico, Marcebru —escribía un mercader de géneros de Saint-Cyprien—, que prestéis atención a la dualidad de la desolación que soportáis. El mal existe, aunque vos dejéis de reconocer su apretón de manos. La muerte de un ser querido, si bien es dolorosa, puede ser un obsequio. Esa muerte puede ayudaros a desprenderos de este mundo. Hay una vieja águila en vos, cuyas alas han perdido las plumas, pero que sin embargo es capaz aún de descender volando desde su morada en la cumbre. ¡Aferraos a sus garras! La huida que intentáis todavía puede poseer la calidad de una pieza de tela de Ghent. Todo lo que os pido es que no dejéis de soltaros antes de que decida abandonaros en lo alto."

• • •

"El amor de Rudel puede inspiraros como la muerte que fue su resultado —escribía un tal Bertran— pero recuerda: su amor distante tomó los hábitos y se alejó de este mundo. Os digo: cantad sobre vuestra angustia. Haced de ella un poema que desentierre nuevos tesoros para todos nosotros."[1]

---

1. El trovador Jaufré Rudel (m. 1148) se enamoró de la condesa de Trípoli sin siquiera verla, sólo por informes que recibió de

"Ningún hombre es tan plenamente feliz que algo en alguna parte no choque con su condición —escribía Gauzbert, un ermitaño a quien Marcebru conoció donde vivía, en el bosque de Bessede, citando luego una línea de Boecio—. Os insto a abandonar Vuestras deliberaciones sobre la ausencia de otra persona. Llegaréis a aceptar que su muerte está arraigada en la felicidad. Por la Santa Mortaja de Cadouin, os digo que hay lugar en vuestro cielo si dejáis de lado el remordimiento y seguís vuestros instintos. *Ella* es vuestro portal."[2]

---

peregrinos que regresaban de Antioquía. Deseando conocerla, tomó la cruz y viajó en un barco a Trípoli. Desgraciadamente se enfermó a bordo, y cuando desembarcó estaba grave. Al enterarse de su condición, la condesa fue a su lecho y lo tomó entre sus brazos. Al darse cuenta de quién era ella, Rudel se recuperó lo suficiente para agradecer a Dios por haberle permitido ver el objeto de su amor. Luego murió en brazos de su amada. Tan apesadumbrada quedó la condesa que al poco tiempo de enterrar a Rudel tomó los hábitos. La historia de Rudel inspiró a Robert Browning a escribir su clásico poema de amor *Rudel a la Dama de Trípoli*.

2. Se creía que la Mortaja de Cadouin, una pieza de hilo traída de Antioquía por un cura de Périgord, estuvo alrededor de la cabeza de Cristo durante la crucifixión. Fue objeto de peregrinajes durante la Edad Media. En 1934, y después en 1982, se llegó a la conclusión gracias a la investigación de que las franjas bordadas

• • •

"*Outremer* ha dejado sus cicatrices, —decía un caballero de San Juan que acababa de regresar de Palestina—. Allí vi hombres, algunos de ellos poetas, ultrajados penosamente por la espada del infiel. Para ellos, la muerte sabía a sorbete, pues nuestro sagrado Papa les había concedido una indulgencia.

"¡Maldito sea por dar lo que no era de su propiedad! Su sangre, derramada en las laderas del Calvario, se mezclaba con la de Nuestro Señor. Uno que cayó a mi lado, y al que todavía le quedaba aliento, me susurró al oído su última voluntad: 'Decidle a Marcebru, si vuestros senderos llegaran a cruzarse, que de todos los trovadores, él nos brindó la verdad del *fin' amors*. Muero con su canción en mis labios'."

• • •

"Os digo, amigo mío, valiente caballero de la palabra, que con esta ayuda tenéis la oportunidad de dirigir un contraataque.

---

eran características del trabajo artístico hecho durante la dinastía Fatamid a fines del siglo XI. De esa forma las pruebas científicas despojaron a la Mortaja Santa de sus propiedades milagrosas.

> Quienes dan la vida en defensa de Jerusalén tienen el canto en el corazón. Vos los extasiáis, ¿no basta eso? Poned una espada a vuestras endechas, enterrad las frías torres de Saint-Martin bajo escombros de palabras. Es vuestra única defensa."

No leí más esa tarde pero saboreé estas palabras, pensamientos escritos hace mucho, pero cargados de una pasión como si acabaran de ser expresados. Sentí que conocía, lo mismo que si hablara con ellos, al mercader de géneros, al ermitaño Gauzbert, a Bertran y al Caballero Hospitalario que regresaba a su patria desde Palestina. Sus argumentos caían en oídos sensibles a su causa. Parecían estar diciendo: Marcebru, no dejes que tu propio dolor se interponga entre tú y tu destino. El poema es una fortaleza: entrega tu vida por ella (así como lo han hecho otros por *Outremer*), pero jamás te rindas al enemigo. Los tres martillos de Charles Martel claman por tu victoria, igual que lo hicieron en Poitiers.

Esos cuatro elogios, expresados con sencillez y tan personales, intensificaron mi interés. Amédée de Jois tenía mucho de qué responder, según parecía. Si la lengua más acerba de su época había optado por enmudecer ante tales palabras del rollo de muerte, entonces estaba claro que algo serio y extraño debe de haber ocurrido. ¿Habría matado a alguien Marcebru? ¿Lo habría denunciado su padre ante el mundo por causa de su crítica a la aristocracia? ¿O Amédée de Jois había desdeñado su amor por ser el de un hombre por encima de su posición?

Cautivo yo mismo de este drama medieval, empecé a buscar respuestas en los lugares más improbables. Las personas que encontraba en el camino, las plazas de las aldeas en las que me sentaba para refrescarme en la tarde, hasta los relojes de las torres que oía sonar al mediodía, todos ellos se mofaban de mí con su parte aún desconocida en el drama. Todo estaba involucrado de alguna forma: una ocurrencia absurda, pero no por ello menos real.

Yo había invitado a Marcebru a revivir sus experiencias y de esa manera imponerme su silencio. Ahora carecía del poder de dejarlo descansar en paz.

11
La marca de agua

Hogar de una legendaria Madonna negra, una virgen milagrosa pintada en estilo rústico, Rocamadour es una ciudad cuyos orígenes medievales son conducentes a estados psicológicos alterados. Trepar los escalones de la *Via Sancta* es experimentar una leve forma de levitación: falta de aliento y una sensación de temor reverente ante la perspectiva de contemplar huesos de santos en compañía de peregrinos que han subido de rodillas. Es suficiente para impresionar hasta al más escéptico.

Según la leyenda, en 1166 un habitante del lugar expresó el deseo de ser enterrado bajo el umbral de la Capilla de la Virgen, pero durante las excavaciones para su tumba se descubrió el cuerpo del ermitaño Zacheo. Tan antigua era la tumba que hubo quien sugirió que podía ser el cadáver de un ermitaño egipcio del siglo III. Sus huesos produjeron una serie de milagros, que atrajeron a personas de toda Francia. Enrique II, uno de los primeros en arrodillarse ante la tumba, se curó de una dolorosa herida de espada. Tuvo lugar luego una procesión de reyes y reinas jamás vista. Millares de peregrinos tomaron el cayado y viajaron a Rocamadour, camino a Santiago de Compostela.

La ciudad está pegada a la superficie de la roca como un nido de estorninos. Una vez que hube subido a duras penas por la Gran Escalera tenía la sensación de haber volado yo también desde el África en una de las migraciones de estos pájaros. Con la dirección suministrada por R. en la mano, atravesé las murallas y me hallé en una plaza rodeada de iglesias medievales y algunas tiendas pequeñas.

Bajo una arcada vi una tienda que vendía papel de óptima calidad; sus vidrieras de cornisa exhibían un despliegue de hojas y sobres hechos a mano. Estudié su irregular elegancia a través del vidrio, maravillado por la forma en que invitaban al espectador a escribir sus más íntimos pensamientos. Picado por la curiosidad, abrí la puerta.

Un hombre, quizá de setenta años, estaba detrás de un mostrador de tapa de vidrio. Tenía puesta una camisa blanca de cuello victoriano. Unas bandas elásticas sobre los codos llevaban hacia atrás los puños de la camisa, dejando en descubierto las muñecas. Miraba sobre un par de impertinentes que hacían equilibrio sobre la nariz. Aunque de aspecto severo, el hombre irradiaba un aire benigno. Me hacía acordar a una figura en un manuscrito ilustrado, de tan compuesto y deliberado que era su semblante.

Le expliqué la naturaleza de mi visita, resumiendo mi viaje desde Moustier, siguiendo los pasos de Marcebru. M. Poulen escuchaba. Parecía sorprendido de que yo, un extranjero, hubiera abrazado la tarea de resolver el enigma del *rouleau de mort* de Marcebru.

—Qué viaje tan interesante —observó M. Poulen, quitándose los anteojos y colocándolos sobre el mostrador. Miré las lentes, y vi por un instante a través de ellas una marca de agua en una hoja de papel en la vitrina bajo la tapa del mostrador. Representaba un amuleto antiguo, de la clase que se encuentra en el Oriente Medio.

—Ya he visto muchas cosas que me han impresionado, y he tenido algunos encuentros desusados —admití.

—Son esas cosas invisibles las que nos impresionan más de lo que reconocemos. En mi caso, cada vez que trato de hacer un papel con materiales ordinarios, siempre tengo la esperanza de que el resultado de mi trabajo sea un objeto bello. Lo mismo pasa con los viajes. Nos brindan acontecimientos inesperados, rutinas, frustraciones y desengaños diarios, pero nos conducen al descubrimiento de que algo notable ha ocurrido: uno se queda sorprendido al ver que de repente emerge una forma, en gran parte intuitiva, lo mismo que sucede cuando se completa una tarea.

—¿Usted tiene una revelación semejante cuando fabrica papel?

—No desestime a la humilde página —me reconvino con suavidad M. Poulen—. Sin ella, ¿dónde estaríamos? Lo que es más importante, ¿dónde estaría el mundo? Es una de las más grandes invenciones. Sobre su chatura, su blancura, el mundo se posa como un cisne. El papel es el lago en el que descansan esas aves majestuosas del pensamiento, inspirándonos con su elegancia, su encanto y su esencia. *Monsieur*, el papel es también el lecho del lenguaje. Dormimos sobre él y soñamos.

M. Poulen apenas había respirado durante este monólogo. Era como si lo hubiera ensayado para mi provecho.

—Es obvio, M. Poulen, que usted tiene un profundo respeto por su oficio.

—Igual que Marcebru, seguramente.

—Sin embargo, por lo que sabemos, no

escribió ningún otro poema después de la muerte de Amédée de Jois.

—Pero eso no quiere decir que no volviera a componer un poema invisible. Fíjese en este pedazo de pergamino —dijo M. Poulen mientras sacaba una hoja de papel de una caja chata en el banco detrás de él—. Al ojo casual parece un pedazo de papel en blanco. Pero si se fija bien, verá una marca de agua en su textura.

Estudié el papel, y vi la tenue imagen de una pareja heráldica, posiblemente un rey y una reina, de aspecto más o menos oriental, hechos a la manera de los personajes del Tarot. Al mismo tiempo intenté verlos como si representaran a Marcebru y Amédée de Jois, dos figuras cuya expresión estaba congelada con implacabilidad, pero sin embargo, de alguna manera, llena de vida.

—Representan el poder real del pensamiento —explicó M. Poulen—, y provienen de una tierra distante, alejada de la familiaridad de nuestra vida. Presiden una corte a la que nosotros tratamos de asistir cada vez que podemos, aunque no logremos vivir obedeciendo sus leyes. Es verdad, ¿no es así?, que anhelamos ofrecer nuestra lealtad a lo que ellos representan, pero fracasamos con frecuencia.

—Por supuesto —dije involuntariamente.

—Ve, *monsieur*, la marca de agua es el poema invisible de mi oficio. Reside en el papel como recuerdo de todos los de mi gremio que me han precedido. Claro, es verdad que muchas veces se trataba de un gesto fugitivo impregnado en el papel para trasmitir un mensaje subversivo. La imagen de los amuletos gnósticos que ve aquí —M. Poulen indicó una marca de agua en una hoja de papel en la vitrina inferior— era la contraseña de los cátaros, deseosos por diseminar su mensaje. La marca de agua era un acto de disenso durante la Edad Media.

—¿Está usted diciendo que estas marcas de agua tienen una naturaleza oculta, que eran el lenguaje secreto de las herejías?

—Las ideas que inspiraron a los cátaros viajaban por las rutas comerciales desde el Oriente Medio. A los cátaros se los conocía a veces como "tejedores", lo que indicaba su asociación con la industria de las telas. Los mercaderes de seda de Constantinopla vendían con regularidad sus productos a los fabricantes de telas de Occidente y compartían sus ideas herejes. De esta manera, las creencias dualistas de la península balcánica y de lugares tan lejanos como Persia lograron entrar en Europa. Al poco tiempo el cristianismo estaba en peligro.

—¿Eso hace que usted también sea un hereje? —pregunté, a medias en broma.

—Pues, sí, al menos en que reconozco el

derecho de mis antepasados a sostener opiniones contrarias a las de su tiempo —respondió M. Poulen—. La marca de agua era su talismán. Les permitía propagar su creencia en la forma de una hoja de papel en blanco. Yo apruebo ese ardid. El papel es el peligro más exquisito: ofrece la ilusión de la blancura, de la pureza, mientras que perpetra algo clandestino.

—Ésa era también la obsesión de Marcebru.

—Se da cuenta usted ahora por qué tuvo tanto cuidado de no escribir sus poemas después de la muerte de Amédée de Jois. Sabe, *monsieur*, esa mujer era parienta del conde Raymond-Roger de Foix. Tanto su mujer, la condesa, como su hermana Esclarmonde tomaron el juramento como perfectas y eran consideradas las mujeres más santas. Es más que probable que Esclarmonde influyera sobre su prima Amédée.

—Y así quizá llegara a ser también una perfecta —razoné, refiriéndome al oficio espiritual más alto entre los cátaros, denominado *parfait*. Usaban ropa negra con una faja distintiva y un bolso de cuero que siempre contenía un ejemplar del Nuevo Testamento. Los perfectos practicaban la castidad, a diferencia de los electos o miembros comunes de la congregación. La inexpugnable ciudad de Montségur, último baluarte de los cátaros, le perteneció a la princesa Esclarmonde por herencia. Allí ella presidió un congreso de perfectos. Esta notable mujer no se oponía a debatir con los predicadores cristianos en la corte de su hermano para defender su propia fe.

—Quizá —respondió M. Poulen—. Todo lo que sabemos es que Amédée de Jois murió en la abadía Saint-Martin, no lejos de Foix, en circunstancias misteriosas. Si era una hereje en secreto, y al mismo tiempo una monja, entonces con seguridad ésa es una razón suficiente para un conflicto. Es difícil, por cierto, resistir la carga completa de una creencia. Pero ¿de dos? A nadie debería exigírsele tal cosa.

La explicación de M. Poulen era como la de la marca de agua misma: con una vaga forma de ofrecer sólo las más leves de las pistas, lograba sugerir significados y motivaciones sutiles.

Si Amédée de Jois era cátara, y quizá perfecta, entonces yo podía entender el secreto guardado por Marcebru con respecto a la naturaleza de su muerte. Las personas con creencias heréticas muchas veces eran víctimas de la recriminación, y sus tumbas eran con frecuencia profanadas. El movimiento albigense atravesó el corazón de Aquitania con una estaca durante el siglo XII. El rey de Francia, el Papa y los nobles septentrionales que se unieron a su causa, finalmente lograron destruir este notable y quijotesco levantamiento en Montségur en 1244, cuando la fortaleza albigense fue destruida por fin y doscientos Perfectos quemados en la hoguera sin juicio previo.

¿Qué papel desempeñaba Marcebru en este conflicto? Sus simpatías sin duda estarían con los cátaros, ya que ellos, igual que él, despreciaban al clero corrupto y la intervención de Luis VIII y su ejército a favor de Roma. Su poesía exhibía una recia tendencia opositora hacia todos los que buscaban patronazgo del rey o la iglesia. La aristocracia local, hombres como el conde Raymond, también simpatizaban con los cátaros. Y es probable que los trovadores se hicieran eco de sus simpatías, ya que dependían de sus auspicios.

M. Poulen me había alertado con respecto a la posible presencia de un lado oculto en Marcebru, gobernado no sólo por el *fin' amors*, sino también por un conflicto de lealtades. La muerte de Amédée de Jois puede haber estado relacionada con el disenso en Aquitania, aunque ella no lo hubiera querido. Iglesia y rey se oponían a la aristocracia provinciana y al pueblo. Entre estas fuerzas, Marcebru había intentado sobrevivir, sin alinearse con ninguna. Para protegerse, había hecho de su poesía la máscara de una religión interior.

Agradeciendo a M. Poulen por su ayuda, volví a salir a la plaza y caminé hasta la capilla de Nuestra Señora para presentar mis respetos a la

Madonna negra. Ennegrecida con cera, la estatua de madera de nogal resplandecía sobre el altar. A su alrededor, ofrendas votivas atestiguaban su efecto perdurable sobre la vida de los peregrinos a través de los siglos. De pronto me sentí tranquilo, sin saber por qué. Como camaradas de armas, Marcebru y yo nos arrodillamos ante ella y ofrecimos nuestras plegarias.

Saliendo de allí, observé la pared del acantilado desde la puerta. Noté una espada hundida en la piedra hasta la empuñadura. Una placa explicaba que era nada menos que la espada legendaria de Durandal, de Rolando. Transfigurada en piedra, esta hoja había defendido en su momento a Europa contra los moros. Sin embargo, y a pesar de la resistencia de Rolando en Roncesvalles, él no había sido capaz de impedir que su rica corriente de ideas continuara su invasión desde España y Oriente. Llegaban por las rutas del comercio, transformando a todos los que tocaban. Dependía de cada uno aprender cómo luchar con ellas y hacerlas suyas.

Rolando, mientras tanto, había muerto defendiendo un sueño imposible: una Europa pura y libre de trabas, resistente a las visiones de otros hombres. Y, según la leyenda, el arcángel Miguel transportó su espada a Rocamadour, lejos de los merodeantes sarracenos, a pedido de su ruego moribundo en el paso de Roncesvalles.

12
Una señora de Damasco

El camino de Rocamadour a Figeac atravesaba una planicie de piedra caliza impregnada en colores otoñales. Una luz dorada entibiaba hasta las piedras de la región, que rivalizaban aquí y allá con los nogales cuyas hojas seguirían resplandeciendo la tarde entera. En esta rémora ruta de peregrinación a Compostela me encontré compartiendo los recuerdos e historias de quienes eran propensos a rememorar su largo viaje a España.

El rollo de muerte era mi único compañero aquella mañana mientras conducía el auto por los caminos secundarios. Ese cilindro de palabras, que luchaban unas contra otras a medida que la suspensión trasera del vehículo subía y bajaba, yacía en el asiento delantero del Deux Cheveaux alquilado para el viaje. Mi destino era la iglesia de Caniac-du-Causse, construida por los monjes de Marcilhac-sur-Célé, y la aldea de Soulomes, cuya iglesia fuera una vez una comandancia de la Orden de los Caballeros Templarios.

Dentro de la iglesia de Caniac descubrí una cripta dedicada a los restos de San Namphaise, un oficial del ejército de Carlomagno que había sido ermitaño. Marcebru se había detenido aquí camino al norte, al parecer para contemplar una serie de lagos pequeños que, según se decía, habían sido esculpidos en el árido paisaje por el santo mismo. Debajo de una bóveda aflautada, resguardada por un peristilo, extraje el rollo de muerte y leí las palabars de *titulis sancti* Gafredus, un monje que había residido allí:

> "Las guerras son las reliquias de la muerte. Nuestro santo guerrero lo sabía al retirarse a este lugar para esculpir sus lagos sagrados. Él abandonó la Espada en favor de la Palabra. La muerte hizo roma la primera mientras que la otra era afilada por la Vida Eterna. Marcebru, vos sois un Guerrero de la Palabra: esgrimidla como San Namphaise lo hiciera una vez al servicio de su rey. Pero rebanad cada hipocresía que se enmascara como la

verdad. En cuanto a Amédée de Jois, consideradla vuestra piedra de afilar, lista para hacer brillar la hoja de vuestra Espada."

¡Fuertes palabras para provenir de un monje que vivía en un desierto de lagos esculpidos y piedras! ¿Agachó la cabeza Marcebru en señal de autorreproche? ¿O se apartó del hombre dispuesto a decidirse? La reiteración de su necesidad de renunciar a su pérdida debió de exacerbarlo por momentos. El hombre puede oír a otros decirle qué hacer muchas veces antes de hundirse en el desaliento. Los monjes, célibes todos ellos, nunca sintieron la dulce lanza del amor sensual, ni siquiera del *fin' amors*, atravesándoles el alma. Su amor distante, si es que poseían alguno, estaba por siempre reservado para otro mundo.

En la aldea de Soulomes me detuve junto a una iglesia cuyo campanario romanesco estaba lleno de palomas. Dentro del presbiterio di con un fresco que representaba un Caballero Templario arrodillado frente al Cristo sepultado y resucitado. Aquí, como sospechaba, el siguiente correspondiente de Marcebru debió de deponer su espada y rezado antes de tomar la Santa Comunión. Con gran cuidado desplegué el rollo de muerte y leí:

"Esta lengua de *trobar clus* en la que habláis, Marcebru, es el idioma de los dioses. Recuerdo que una vez, cuando negociábamos una tregua con el califa de Damasco, tuvimos ocasión de alojarnos en su corte. Esclavos servían comidas exquisitas mientras nosotros yacíamos en divanes, contemplando las diversiones. El sonido de *rehap* y *ney* llenaban el salón con una melodía tan sentimental que sentí que me estallaba el corazón. Me levanté, salí y caminé hasta el patio, donde vi una fuente en la que el agua salpicaba suavemente.

"Allí medité sobre la futilidad de la guerra. Arriba, las estrellas me recordaban todas aquellas almas perdidas en interminables batallas libradas en el nombre de Cristo y de Alá. ¡Qué adversarios! La Media Luna y la Cruz eran símbolos de un conflicto más profundo: el deseo de los hombres de herirse los unos a los otros con sus creencias. Y allí estaba yo, tratando de encontrar un terreno común. Me saltaron las lágrimas, no de felicidad, sino de frustración.

"Como entre una neblina sentí la presencia de alguien cerca. Me volví y vi a una mujer de pie junto a la fuente, el rostro velado de acuerdo con la costumbre. Cuando le hablé, inclinó la cabeza, permitiendo que la tela que la cubría se deslizara. Reconocí a una dama joven, una princesa. Entendí cada palabra de su conversación, pero hasta el día de hoy no puedo decir si hablaba en provenzal, francés, griego o árabe. Su idioma era tan misterioso como su presencia.

" 'Buen caballero —me dijo—. 'Vos venís de un lugar lejano donde el anhelo de los orígenes aún os azota como un látigo. Por más árida que sea esta tierra, cada una de sus piedras está saturada del espíritu que ambos adoramos. Es natural que todos tratemos de beber de su fuente, con la seguridad de que esas aguas nos sanarán. Y sin embargo libramos batalla unos contra otros, cimitarra contra espada, el Corán contra la Biblia, dos poemas invencibles trenzados en mortal combate.

" '¿No es éste el momento de domesticar las palabras en interés de la amistad, el momento de encontrar un lenguaje común para que por fin el amor logre eliminar la desarticulación entre los pueblos? Recordad que adoramos la misma esencia, la cual, a pesar de toda la ostentosa sutileza a nuestra disposición, desafía la expresión. Nosotros, el pueblo de Alá, como sabéis, nos sentimos seducidos por la palabra. Consideramos que el poeta está más cerca del cielo que los ángeles.

" 'Os ruego, buen caballero: regresad a vuestra gente. Decidles que habéis bebido de la fuente de la sabiduría. Cuando os pregunten qué sabor tenía, decidles que desde entonces vuestros labios sienten algo que está más allá de toda experiencia palpable. Pues habéis aprendido a comprender el anhelo arraigado en el silencio de estas piedras.'

"A la conclusión de las palabras de esa mujer aparté los ojos de la fuente para mirarla, pero se había ido. Todo lo que quedaba de su presencia era el perfume a lavanda. Su aparición se había ido como llegara.

"Regresé al salón, a la música y festejos, con los labios ardiendo. Desde ese día volví la espalda a *Outremer*, lejano hogar de mis más fervientes ideales, y me embarqué de regreso a Francia. Había aprendido que la retórica es como un eunuco: carece de género, masajea el espíritu con todos los ungüentos del placer, pero en verdad no es más que el bálsamo del aniquilamiento.

"Por esta razón, Marcebru, os pido que consideréis a vuestra propia Tierra Prometida. Volved la espalda a la charla común y entrad más hondo en el corazón del poema. Vuestro deber es aseguraros que las palabras se eleven por encima de la tarea de representar cómo son las cosas; deben revelar su significado interno, el lenguaje de los dioses. Esto lo oí de una dama en Damasco."

Guardé el rollo de muerte, sin percibir la mirada fija del Cristo Resucitado encima del altar. Sentí la pasión de las palabras del Caballero Templario. El rollo de muerte se había convertido en una antorcha viviente, a pesar de haber permanecido olvidado todos estos siglos en la Chapelle des Pénitents, sin alimentar ningún pensamiento. Pues exigía tanto de mí como de Marcebru el tener que tomar el bastón e iniciar el peregrinaje por el sendero hacia la sabiduría.

Las observaciones del Caballero Templario seguían hoy tan poderosas y llenas de vida como cuando fueron escritas. Su conversación con

Marcebru había tocado temas que iban más allá de lo meramente personal. La velada visitante junto a la fuente había echado un conjuro a dos hombres y ahora, ochocientos años después, reafirmaba su poder sobre la mente. Yo era el tercer hombre, tan ansioso como ellos de sondear el misterio de sus palabras.

El fresco sobre mi cabeza brillaba con luz tenue. La escena del entierro seguía reafirmando la transitoriedad de la muerte, mientras que, en contraste, la Resurrección llamaba a la gente a levantarse y resistir. El Templario, mientras tanto, aquel viejo espadachín, por fin había abandonado su espada. Y su amigo el poeta, cuyo canto por el momento estaba en suspenso, escuchaba alguna otra melodía, con perfume a lavanda y a la dulce fragancia de las palabras.

13
La placa de basalto

En mi intento por comprender a Marcebru me encontré retrocediendo en el tiempo. Su relación con Amédée de Jois era mi obsesión. Ella, prima de un dualista, había tomado los hábitos para huir de una situación extrema. Aquitania estaba en crisis: la gente no sabía en qué doctrina creer, y el mundo más allá de sus fronteras estaba amenazado. ¿Adónde podía refugiarse una persona, excepto en el acto privado de la meditación?

El *fin' amors* era una de las formas de ese refugio. Brindaba la oportunidad de amar a alguien a la distancia, sin reciprocidad; sólo exigía que esta persona fuera testigo silencioso de ese amor. Marcebru, sin embargo, empezaba a dudar de la idea del *fin' amors*, creyendo que estaba profanado por la infidelidad. Para que el amor lo transformara, debía existir una fidelidad absoluta. Quizás Amédée de Jois hallara esta carga demasiado pesada.

En Figeac, donde yo planeaba pasar la noche, Marcebru había conocido a Père Fyot, el abad de Saint-Sauveur. A juzgar por los pocos datos que habían sobrevivido en el rollo de muerte, los dos hombres pueden haber discutido una variedad de tópicos interesantes, quizás hasta entrada la noche. La escritura en el documento original era ilegible en partes, llevando al erudito en latín de Ussel a observar (entre paréntesis) que creía que se había derramado vino en el pergamino. Todo lo que pudo traducir fue unos pocos fragmentos enigmáticos:

> . . . la fantasía puede equivocarse en el particular. . .
> y las imágenes moderar el ejercicio de la Cruz.
> Un jardín productivo surge de . . . suelo
> . . . quietud . . .
> . . . la mirada interior busca . . .
> . . . cálidos perfumes del Paraíso.
> El pensamiento es un instrumento
> dispersado en secreto . . .
> . . . El Fin regresa a su origen . . .
> Divino . . . un tesoro escondido entre

Cardos . . . Asid la ortiga y sentid el dolor del
significado mientras hace que brote la sangre . . .
. . . la picadura de un áspid.
Amédée de Jois comprendía . . .
. . . .
. . . nada terrible en no vivir.

¡Cuánto deben de haber conversado Marcebru y el abate Fyot! Cualquier cosa que haya dicho el abad, el examen más superficial indicaba que era un hombre culto. Su observación final, referida al recuerdo de Amédée de Jois, sugería que conocía bien a Epicuro, pues yo sabía estas palabras de memoria.

Cuanto más estudiaba yo el rollo de muerte, más consideraba que era un documento inspirado. Muchos de los correspondientes recurrían a la Biblia para respaldar sus palabras; la mayoría se sentía alentada por su encuentro con Marcebru, lo que los hacía más arriesgados. La muerte que él deseaba conmemorar actuaba como catalizadora, provocando renovado énfasis en el pensamiento de cada uno. Era obvio que para estas personas constituía un desafío el tratar de convencer a Marcebru a que no continuara un prolongado coqueteo con el remordimiento.

Además de ser el hogar del abad Fyot, Figeac era la residencia de un lenguaje olvidado. Mi libro de viajes me informaba que en la Place des Écritures, rodeada por un grupo de edificios medievales, había una réplica de la piedra Rosetta, esculpida en granito negro de Zimbabwe por un estadounidense en 1990. Fue allí donde nació el gran orientalista Jean-François Champollion, en 1790, y donde dedicó su vida a descifrar los jeroglíficos egipcios. En un museo que guardaba una réplica de la piedra Rosetta de la plaza podían verse otros documentos pertenecientes a Champollion, incluyendo un canope con entrañas humanas, la paleta de un escriba, considerada esencial como parte del equipo mortuorio, y un traje de momia, decorado.

No pude evitar acordarme de las observaciones fragmentarias del abate Fyot en el rollo de muerte al pensar en la concienzuda investigación llevada a cabo por Champollion. A ambos hombres les había obsesionado la expresión lingüística y la resistencia de las frases a revelar su significado original. Decidí que correspondía hacer una visita al museo. Champollion podría quizá paliar la frustración que sentía como consecuencia del silencio de Marcebru.

No había nadie cuando traspuse la arcada de

la entrada de la Place des Écritures. Incrustado en los adoquines se veía un trozo enorme de granito negro de casi quince metros de largo por la mitad de ancho, con los caracteres de la piedra Rosetta esculpidos en la superficie. Casi tropecé con uno de sus bordes sobresalientes al entrar en el patio. ¡Bien! Pensé. He tropezado con el significado de las palabras en todo el curso de mi vida, y ahora me las ingenio para hacerlo también físicamente. Sintiéndome un poco tonto, me limpié el zapato con la parte posterior de mis pantalones.

—Debo hacer arreglar ese borde. —Una voz de hombre se dirigió a mí desde el final del patio. Tenía puesta una boina, una polera azul y un pañuelo flojo alrededor del cuello. Su cara bien afeitada tenía un aspecto levemente encerado.

—No miraba por dónde caminaba —respondí.

—Lo mismo podría decirse de todos nosotros. Ensimismados como estamos en nuestros pensamientos algunas veces, no nos damos cuenta por dónde nos llevan simplemente porque hacemos caso omiso de sus señales.

Me quedé confundido por esta observación, y se lo dije.

—Ah, *monsieur*, perdóneme, por favor. Permítame presentarme. Soy el conserje de este museo. Vivo dentro del dominio de la palabra toda la temporada de verano —dijo con una risita breve cuya duración resultó ser más notable que el sonido—. Imagínese lo que significa vigilar una enorme piedra negra escrita en tres lenguajes extintos, cada uno más intraducible que el otro. A veces me pregunto cómo pudo M. Champollion sobrevivir a esta ordalía, descifrando con paciencia cada jeroglífico y comparándolo con estos textos paralelos que vemos aquí. "Simbólico versus fonético", solía musitar. ¿Qué precede a qué, el pensamiento o la palabra? El huevo o la gallina, digo yo. Es una pregunta que no podemos responder, de manera que el misterio subsiste.

—¿Sabemos qué dice la piedra? —pregunté.

—Es un edicto de Estado escrito en la época de los Ptolomeos, que reinaron entre 332 y 80 a. C. Gran parte tiene que ver con la seguridad de los templos y los impuestos de los cereales que se concedía a cada uno. Podría decirse que es un ejemplo temprano del lenguaje comercial; no hay nada aquí que sugiera invocaciones mágicas u oraciones para los muertos.

—El lenguaje de los dioses, querrá decir.

—Siempre que la parte de las vides y frutos correspondientes al dios puedan interpretarse así.

—*Monsieur* —le dije—. Quizás usted pueda ayudarme.

Pasé a explicarle al hombre mi interés en

Marcebru y su rollo de muerte. Sentía la necesidad de descargarme, y las maneras del conserje me hacían sospechar haber encontrado a un hombre de una mente afín. Cuidaba palabras que habían perdido el significado, mientras que yo trataba de revivir su significado antes de que fuera demasiado tarde.

—El silencio de un poeta es una cuestión compleja —replicó el conserje—. Puede estar respondiendo a estímulos más allá del alcance de la gente común. La poesía es importante para el mundo, no sólo porque expresa al mundo, sino también por la forma en que lo renueva. Nos cambia de una manera que el pensamiento común y corriente es incapaz de hacer.

—Ésta muy bien puede ser la razón en la cual Champollion se inspiró para traducir la piedra Rosetta —sugerí—. Quizá sospechó que había un nuevo camino en las imágenes simbólicas descartadas por una cultura antigua. El jeroglífico, después de todo, es una ilustración en potencia.

—Por ejemplo, donde la piedra dice "estos dioses, que aman a su padre, contribuyen al servicio de los templos de Egipto", nosotros percibimos el poder permanente del encantamiento. Hoy ya no reconocemos el poder del lenguaje de la misma manera.

—Marcebru también sentía esa pérdida, y por eso se sumió en el silencio —respondí—. Una vez que la fuerza del *fin' amors* disminuyó, murió con él su habilidad para componer poesía. En el caso de Marcebru, parece que el *fin' amors* encontró su objeto en Amédée de Jois. Cuando ella murió, también murió para Marcebru la habilidad de crear.

—Por lo que me dice, la habilidad poética de Marcebru estaba relacionada con un ideal. Mientras idolatraba a Amédée de Jois era capaz de celebrar el espíritu del amor distante. Pero cuando ella murió, ¡ah! ya sabemos lo que le sucedió a Jaufré Rudel y a la condesa de Trípoli. La muerte de él la llevó a hacerse monja, como recordará. Su vida cambió no bien aceptó a la muerte de Rudel como una expresión de su amor por ella. El amor y la muerte se confundieron de la misma forma que se entretejen la luz y la gravedad.

—Es difícil seguir su argumento —me vi obligado a admitir.

—Normalmente consideramos a la luz y la gravedad como mutuamente excluyentes. No lo son, en realidad. La gravedad es el acto de adquirir peso, de retirarse de la insustancialidad del aire. La luz, por otra parte, ilumina y revela el sendero hacia la insustancialidad. Están unidas entre sí: ocultación y revelación, oscuridad y apertura, oscuridad e iluminación. Éste es el principio que subyace en el *fin' amors*: la gravedad y la luz son incluyentes entre sí, no opuestas.

—Usted está diciendo que el amor y la muerte son inseparables.

—Durante demasiado tiempo hemos vivido bajo la idea errónea de que en el amor o en la muerte nos separamos —repondió el conserje—. Para los antiguos egipcios, hacer el cruce entre la vida y la muerte era un acto poético, no sólo algo físico. ¿Recuerda *El libro de los muertos*, y esos interminables jeroglíficos en las paredes de las tumbas de los faraones? El cuerpo, sabe, podía ser transportado hacia el más allá sólo en una carroza de palabras. Ésta es la razón por la que siempre se ponía la paleta del escriba entre el equipo funerario: ayudaba al muerto a transcribir su viaje al otro mundo.

El concepto del conserje sobre el amor y la muerte me dieron pie para reconsiderar el silencio de Marcebru como resultado de la muerte de Amédée. Su silencio era afirmativo, un tributo a ella, y no algo meramente elegíaco. De la misma manera, la plancha de basalto negro en el patio, que durante tanto tiempo escondiera los secretos del lenguaje, finalmente unía fuerzas con la percepción de Champollion. Entre ellos revelaban la posibilidad de una relación ininterrumpida con el mundo.

Esa noche comí solo en el café local. Mientras meditaba sobre una copa de Armagnac cuando levantaban la mesa, decidí volver a la Place des Écritures para echar un último vistazo a la piedra Rosetta. Era probable que el aturdimiento afectara mi estado mental, pero estaba lo bastante sobrio para recordar el camino de regreso al patio. El frío de la noche avivó mis sentidos, y noté cuán luminosa parecía la noche.

La plaza estaba a oscuras, salvo por la pálida luz de la luna. Me dirigí hasta el centro, donde estaba la piedra Rosetta, consciente de que me adentraba en una cantera de palabras. La negrura me rodeaba, y las letras de tres lenguajes antiguos debajo de mí parecían hacer que me hormiguearan los pies. Los jeroglíficos empezaron a converger entonces sobre mí, y sentí la necesidad de librarme de alguna manera de mi peso. Por una vez deseaba disociarme del significado de las palabras, pero al recordar una de las observaciones del abad Fyot, me di cuenta de que era imposible: la mirada interior siempre anhela descubrir el cálido perfume del paraíso.

Con el sabor del Armagnac todavía en los labios, me pregunté si Marcebru habría vuelto la espalda a la palabra. Quizás había buscado la muerte en la penetrante luz de la ausencia. Cualquier cosa que le hubiera ocurrido en aquel entonces, me había dejado este enigma aún sin resolver.

14
Nacido de dos deseos

¿Adónde me conducía este viaje? Abrumado como estaba por el peso del rollo de muerte, me había convertido en una bestia de carga que trasportaba lo que otros hicieran a un lado. Empezaba a pesarme mucho: anhelaba librarme de este peregrinaje de ocultamiento y revelación. ¡Otra vez la gravedad! El conserje que tenía a su cuidado la réplica de la piedra Rosetta estaba en lo cierto: yo me rehusaba a admitir que la carga y la revelación pudieran ser aliadas.

¿No serían estos valores los de Marcebru cuando contrastaba la vía fragmentada (*frait*) con el pensamiento integrado (*entiers*)? Por cierto él se esforzaba por lograr un alto tono moral en su poesía. Colores, objetos, árboles, plantas, animales, insectos, pájaros: a todos los usaba como símbolos para ocultar antes que para revelar. Ésta era la esencia del "estilo cerrado" que lo caracterizaba.

Sus cantos eran como jeroglíficos. Releyendo uno de sus poemas que llevaba en mi mochila, era evidente que veía la naturaleza como algo que echaba una red sobre la mente receptiva:

La hoja se tuerce mientras la veo caer
Desde las copas de los árboles, y el viento
La deshace en su vertiginoso descenso;
Así valoro yo la amargura del invierno
Más que al verano lleno de calientes recursos
Que es el progenitor del desenfreno
Y el donaire del deseo.

Ruiseñor y pájaro carpintero
Trocan su canto en silencio,
Como el grajo y el oriol
Luego del placer del invierno;
Mientras que el orgullo del verano
Desnuda sus colmillos a la vista de rufianes
Que lo tumban en una zanja
Cargada de quejas.

El invierno es una estación casta. Extrae su placer de las aves que silencia, esas aves cuyos ásperos gritos y colorido plumaje son un reflejo de una cháchara vacía y de un superficial amorío veraniego. El quejoso invierno también hace a un lado al orgullo, con su salvaje sonrisa de verano. La naturaleza aparta a la arrogancia, la tentación y el enojo.

El rollo de muerte de Marcebru era una celebración de la oscuridad, de lo secreto, del aspecto sombrío de Amédée de Jois. Esta mujer, fuera quien fuese, le había dado a Marcebru un nuevo sentido de sí mismo. Ella, al abandonar la vida, hizo que él transformara su concepción del amor. Tal gesto no era tan irrazonable si, de hecho, ella había descubierto por sí misma el más allá del *fin' amor*. Marcebru lo daba a entender en un poema que sugiere que ella no era de este mundo, que el amor "nacido de dos deseos", era más precioso para ella que la vida misma:

Esa pareja de amantes, tan propios
el uno para el otro,
Que no se oponen entre sí
En su viaje, con el amor
A su lado, son clara prueba
De un anhelo nacido de dos deseos
Y una confianza que es segura, blanca,
Preciosa, verdadera y pura.

¿Había yo pasado por alto algo importante en mi estudio de la obra de Marcebru, el hecho de que una cualidad particular del amor formaba parte intrínseca del rollo de muerte? Sabiendo que nuestra idea moderna del amor está teñida de emoción, debía tener cuidado de no proyectarla en Marcebru y su época. Era el único poeta que intentó definir el *fin' amors* como un valor filosófico en uno de sus poemas:

Quien por el *fin' amors* es elegido
Lleva una vida feliz, sabia y cortesana,
Mientras que a quien rechaza
el *fin' amors* refuta
Y condena a ser destruido.
El hombre que el *fin' amors* desdeña
Se convierte en un tonto, boquiabierto
Ante ilusiones, descarriado del todo
Por su estúpido pensamiento.

Una mente clara y una conducta digna de elogio eran más apropiadas para el amor que la mera excitación física. El rollo de muerte, cuyo tema consistía en el recuerdo de Amédée de Jois, estaba cargado de ideas que se elevaban por encima de lo personal. Marcebru les pedía a todos a quienes encontraba que escribieran su pensamiento con la esperanza de que pudieran producir nuevas revelaciones.

Ya a mitad de mi viaje, sentía que me encaminaba hacia algo aún no expresado. La muerte de una mujer y el silencio de un poeta circunscribían todos mis actos. Yo estaba enmarañado en su soledad y ya no podía escapar de las exigencias que se habían hecho entre sí, ni en la de los que habían sido convocados a contribuir en el rollo de muerte.

15
Conflictos y relicarios

Albi es la única ciudad de Europa cuyo nombre está vinculado en forma directa con la herejía. La Iglesia denominó "herejía albigense" a la doctrina dualista de los cátaros a comienzos del siglo XIII, trayendo de esta manera la condena del pasado a esta ciudad color de rosa. Puede ser que Albi encarnara un espíritu pasivo de anarquía política, social y espiritual que incomodaba al resto de Europa. Como en otras ciudades de Aquitania, una mezquita, una sinagoga, un templo de culto herético y una iglesia cristiana podían existir allí lado a lado.

Este pluralismo hacía posible que un profesor morisco y un funcionario de la corte judío pudieran entablar una conversación civilizada. Mujeres como la Perfecta Esclarmonde tenían total libertad de asistir a la corte y debatir sobre teología con inquisidores del norte sin sentirse degradadas. Esta refinada y mundanal sociedad había llevado a la sexualidad a tal punto que la castidad (*castitatz*) significaba más que abstención física. Ahora abarcaba el control y ordenamiento del deseo sexual.

Dolor tan dulce se derivaba de los poetas árabes de España, hombres como Ibn Hazm e Ibn Dā'ūd, que a comienzos del siglo XI propusieron el concepto de amor profano. La práctica del amor casto (*alhawa al-'udri*), que implicaba renunciamiento, era considerada un signo del buen carácter de un hombre. El trovador Guilhem de Montanhagol, que peleó en España y en quien influyeron profundamente los poetas moriscos, escribió que el amor brotaba de la castidad y no de la pasión. Para Guilhem, una dama estaba hecha por Dios:

Yo estaba persuadido y convencido
De que del Cielo su belleza provenía;
A la creación del Paraíso se asemeja
Y su gracia es de fuera de este mundo.

Esta idea fue tomada luego por Andreas Capellanus en su tratado *De amore*, escrito en 1186 por encargo de Marie de Champagne. El *amor purus*, escribía, en contraste con el *amor mixtus*, "consiste en la contemplación de la mente y el afecto del corazón; llega tan lejos como el beso y el abrazo y el modesto contacto con el amante desnudo... Este amor se distingue por ser de tal virtud que de él se desprende toda la excelencia del carácter, y ningún daño proviene de él; Dios ve poca ofensa en él. Ninguna doncella puede ser corrompida por este amor, ni puede una viuda o una esposa recibir herida o perjuicio a su reputación".

Los nobles de Albi alimentaban una creencia en la capacidad humana de buscar y encontrar la felicidad. La tensión entre lo sensual y lo espiritual, que poetas como Marcebru y Montanhagol intentaban resolver en su obra, por último sucumbían al rechazo cristiano de lo carnal. Cuando esto ocurría, el *fin' amors* era consumido por los fuegos de la Inquisición y los ejércitos de Simon de Montfort, que causaba estragos con su espada.

¿Estaba Albi en su sano juicio, mientras que el resto de Francia era la ciudad demente a la que aludía el poeta Piere Cardinal en su famosa fábula?

> Existe cierta ciudad, no sé dónde, en la cual cayó una lluvia de naturaleza tal que todos los habitantes sobre quienes cayó

perdieron la razón. Todos perdieron la razón, excepto uno, que se escapó porque estaba en su casa dormido cuando llovió. Al despertarse, se levantó: la lluvia había cesado, y salió entre las gentes que estaban haciendo locuras. Uno iba vestido, otro desnudo, otro escupía al cielo; algunos arrojaban palos y piedras, desgarrando su ropa, pegando y empujando... El hombre cuerdo se sorprendió sobremanera y vio que estaban locos; no pudo encontrar a ninguno en su sano juicio. Sin embargo, mayor era la sorpresa de los otros al verlo; al notar que no seguía su ejemplo, llegaron a la conclusión de que había perdido la razón... de manera que uno le pegó de frente, otro por detrás. Es derribado y pisoteado... Por fin, él huye a su casa cubierto de barro, magullado y medio muerto, y agradecido por haber escapado.

Marcebru debe de haberse sentido como el único hombre cuerdo en el mundo cuando entró en Albi con su rollo de muerte sobre el hombro. El conflicto mayor de su tiempo podía reducirse a una sola premisa: ¿existía el mal por derecho propio, según sostenían los cátaros? ¿O no era más que un desvío del bien, una ilusión tortuosa en extremo, como predicaban con fervor los teólogos desde Agustín? De cualquier manera, Aquitania estaba dividida entre quienes rechazaban una u otra creencia. Marcebru, que convivía con la paradoja, había resuelto no dedicar su vida para defender algo tan claramente insoluble.

Como un capirotado *capucié* o miembro de una sociedad secreta, conocida como los Hermanos de la Paz, que recorrían la campiña intentando terminar con el bandolerismo, Marcebru viajaba por los caminos apartados de Aquitania intentando erradicar toda crudeza de expresión con el sutil arte de la poesía como arma. Le bastaba saber que algunos hombres, en secreto, ansiaban poner a prueba su temple contra el fervor del poeta.

> "En nuestro amado priorato —escribía un monje de la abadía Saint-Foy de Conques— tenemos la pequeña estatua de nuestro santo. Está hecho de muchas partes: una cabeza es de Roma. Los brazos de tiempos de Carlomagno, el torso de la época de Clovis, rey de los francos. Está adornada con esmaltes, cabujones y piedras preciosas de períodos más recientes.

Este relicario sagrado comparte todas las épocas, conectándolas, superando hasta la angustia de Nuestro Señor con su tallado y su cristal cincelado. De la misma manera, Marcebru, poeta de gran fuerza, en quien todo grabado es un pecado, permitid que la incoherencia supere a vuestro dolor."

• • •

"Sí, y más —escribía el hermano lego Giraldo, que había leído la epístola anterior—. Nosotros también poseemos la 'A' inicial dada por el mismo Carlomagno. Es un pedazo de la Verdadera Cruz en la que fue crucificado Nuestro Señor, y está contenida en un relicario decorado y cincelado en plata. 'Alfa' es la primera letra del alfabeto, y una señal para nosotros del poder de la Palabra. Vos, Marcebru, también sois un relicario de la Palabra. Alfa y Omega, lo primero y lo último: sólo éstos podéis resolver. La muerte de la buena Amédée no es el fin. Dad vuestra palabra a la 'A', al principio tanto como al fin. Allí descubriréis otra vez la humanidad."

El abad Hincmar de Saint-Foy escribió los siguientes versos:

Nadie comprende a qué profundidades
Debe sumergirse la mente
Antes de ser desplazada. Los dementes
Acarician una vida sin contrastes; por ello
Arrancad de su rostro esa máscara
De paradoja que oculta todo
Misterio, todo sabio y límpido conflicto.
Borrad la expresión de vuestros ojos:
Hundíos otra vez en ese estanque sin fondo
Del cual la Voluntad se agita y luego surge.

Así entré en Albi. El rollo de muerte se había convertido en algo así como un carro en la primavera, decorado con flores que eran guirnaldas de hombres hechizados por la belleza y la posibilidad de las palabras.

16
Blanca amistad

No me sentía bien cuando llegué a mi hotel en Albi, con vista al río Tarn. Había comido un almuerzo liviano ese día, de modo que no había razón para pensar que la causa de mi enfermedad era algo que había comido. Decidido a restarle importancia, me senté junto a la ventana a contemplar el sol que entibiaba las paredes de la catedral en el extremo más apartado del río. Al parecer, Saint-Cècile estaba acalorada como yo.

Albi era una ciudad de recuerdos profundos y dolorosos. Sus hijos predilectos, el marino Jean François de Lapéruse, que navegó y exploró el océano Pacífico en la década de 1780, y el artista Henri Toulouse-Lautrec, murieron en plena juventud. El saber que la historia de Albi estaba tan firmemente vinculada con el catarismo, muertes en la hoguera y guerras, me hizo pensar si algunas ciudades no ven sus mejores empresas malogradas. Sabía que se había construido Saint-Cécile con la intención de aplacar la angustia del pasado.

Incrustada en las piedras de Albi había una pregunta. ¿De dónde proviene el mal, y en qué existe? escribió Tertuliano, invocando el antiguo enigma de la existencia. Innumerables residentes de esta ciudad se habían hecho la misma pregunta, resolviéndola cada uno a su manera. El mal existía, y el mundo era el dominio del diablo. Como ente físico, el hombre estaba condenado a permanecer en el mundo, mientras que su alma, si era capaz de desembarazarse de lo físico, podría ascender al mundo celestial. El bien y el mal eran espíritus trabados en mortal combate dentro del cuerpo.

El hombre tenía una elección simple: purificarse o condenar su alma a una existencia terrenal hasta que el alma pudiera liberarse. Este acto de metempsicosis, en que la migración del alma de un cuerpo a otro ocurre a través del tiempo, termina por fin con la liberación del alma mediante un acto de penitencia. Abandonarse a la actividad sexual, por lo tanto, era prolongar una angustiosa relación con la tierra. La castidad ayudaba al espíritu en su viaje hacia el mundo celestial. Reconocer la existencia de Satanás hacía posible, entonces, comprender al enemigo, lo que no captaban quienes se oponían a los cátaros.

La gnosis era tan antigua como el Oriente. Roma no ignoraba que, de alguna forma, se había apegado al cristianismo y que de manera tortuosa se iba abriendo paso hacia el corazón mismo de la creencia cristiana. Hombres como santo Domingo prevenían contra los efectos perniciosos del pensamiento gnóstico, olvidando quizá que uno de los hijos favoritos de la Iglesia, San Agustín, había confesado en una oportunidad que era maniqueo. En lo que respecta a la iglesia católica, el dualismo resultaba ser más destructivo que la plaga.

Como todavía seguía sintiéndome mal, decidí consultar un médico. En la recepción del hotel tuvieron la amabilidad de porporcionarme la dirección de un médico cercano. Llamé un taxi. Cruzamos el Viejo Puente sobre el pequeño lago y nos dirigimos por unas calles pequeñas hasta la casa del facultativo, detrás del claustro de Saint-Salvy. Entré y me dispuse a esperar para la consulta.

—Ah, *monsieur*, pase —indicó el médico, un hombre de unos cincuenta y tantos años, con uñas bien cuidadas. Su cabeza, si bien un tanto grande y pesada en apariencia, le otorgaba un aire de solicitud y reserva.

El consultorio, en que predominaba la madera ornamentada, tenía un aspecto medieval. Los grabados sobre las paredes representaban típicas escenas de Albi. Los recorrí con los ojos, y me detuve ante la figura de una mujer atada a la estaca en medio de una pira funeraria. La mujer debía de ser una cátara, quizás una Perfecta, condenada a muerte. Al ver su sufrimiento sentí que el mal que me aquejaba se aliviaba temporariamente.

—Algo desafortunado en nuestra historia —observó el médico al notar mi interés en sus grabados—. Vivimos bajo la sombra de ese holocausto, inclusive hoy.

No respondí nada, dejando que el médico me examinara sin interrupción. Me auscultó el pecho, me revisó el estómago y me sintió el pulso. Después de unas preguntas referidas a la razón por la que estaba en Aquitania, que respondí en detalle, finalmente expresó su opinión.

—*Monsieur* —dijo—. Usted es un extranjero que se ha aventurado en una tierra de tragedia. Nosotros, los que vivimos aquí, estamos familiarizados con los efectos del pasado e inmunizados contra sus síntomas. Usted, por el contrario, no tiene resistencias.

—Supongo entonces que no tengo nada —repliqué.

—El pasado puede ser una condición mental, *monsieur*. Cuando está cargado de dolor, de angustia y de otras condiciones que afectan al corazón, influye en la salud en general. Su encuentro con Marcebru, y con la muerte de su *fins' amors*, lo ha afectado a usted más de lo que nota. No en un sentido psicológico, en absoluto. Ésa sería una prognosis superficial. El tema de la fe, o mejor dicho, este conflicto de fe, puede haber estimulado en usted un problema de duda. No lo digo con ligereza.

"El dualismo es una pócima tóxica —siguió diciendo—. Incitó en generaciones de hombres y mujeres el deseo de lograr la perfección, pero a un costo considerable. Nuestra tierra fue desolada por la intolerancia, que asestó un golpe mortal a los cátaros. Murieron por creer con demasiado fervor en huir de las limitaciones del cuerpo.

—Entonces, usted tiene alguna idea de cómo murió Amédée de Jois —aventuré, sintiendo que desaparecía mi enfermedad.

—Amédée de Jois era prima de Esclarmonde, una de las perfectas más famosas de Aquitania, y cayó bajo su influjo. ¿Ha oído usted de la ceremonia conocida como *endura*? —preguntó el médico.

—No —admití.

—La practicaban los perfectos que deseaban

dejar esta vida y de esa manera acceder al reino celestial sin volver a verse enredados en la materia. *Endura* es un acto de suicidio, por lo general por inanición. Era la expresión final de la doctrina cátara: se destruía el cuerpo para dejar liberada el alma.

—Pero sabemos que Amédée de Jois murió como monja en Saint-Martin. Por lo que sé, ella no tenía creencias cátaras.

—Es verdad, murió vistiendo los hábitos. Pero hay una tradición según la cual bajo su hábito se encontró una faja característica que usaban los Perfectos.

—¿Qué está sugiriendo?

—No estoy insinuando nada, *monsieur*. Simplemente deseo señalar que en Amédée de Jois bien puede haberse librado todo el conflicto de nuestra diminuta nación. Su fe en Dios, en el sentido cristiano, se oponía a su deseo de perfección. Una fútil ambición que nos ha atormentado a los habitantes de Oc desde que estas ideas gnósticas ingresaron en nuestro territorio por las rutas comerciales del Oriente.

—Los médicos tuvieron parte de la culpa por su diseminación —le recordé.

—Como dice usted, los miembros de mi profesión eran defensores de las creencias dualistas. Se sabe que ganaron prosélitos en muchas casas de nobles. Sin embargo, más que médicos, en el sentido moderno, eran hombres que sangraban con sanguijuelas y que tenían la habilidad de aprovecharse de las personas que los mantenían.

Mis pensamientos retornaron a las circunstancias alrededor de la muerte de Amédée de Jois. Si era monja, y al mismo tiempo participó en la ceremonia herética conocida como *endura*, entonces ¿qué puede haberla llevado a tal atolladero?

Sabía que debía resolver este problema para entender el silencio de Marcebru. Obviamente, él debía de haber estado consciente del conflicto de Amédée. Aunque la evaluación del médico fuera incorrecta, no era difícil imaginar que ella sucumbiera a la controversia religiosa de su época. Bien puede haber deseado lograr la perfección en esta vida y, paradójicamente, no saber otra forma de hacerlo sino a través de la muerte.

La elección puede haber sido mucho más simple. Amédée de Jois quizá murió porque ya no creía que el poder de la palabra pudiera expresar sus deseos más profundos. La controversia y la discusión, la disputa teológica y la diatriba herética, todo esto puede haber dificultado el discernimiento de la verdad. Lejos de aclarar las cosas, las palabras pueden haber creado, no un puente, sino un foso de malentendidos.

¿Era el amor lo que anhelaba, y que luego

perdió? Ella, destinataria del *fin' amors*, quizá sucumbió al fin a una pérdida de la pasión. La doctrina cátara del desencanto con lo físico puede muy bien haber destruido su relación con su propio cuerpo y, en consecuencia, destruido su amor por Marcebru. Además, sus sentimientos hacia Marcebru pueden haber caído víctimas de su deseo de lograr la perfección.

—Como usted es mi último paciente por hoy —dijo el médico, interrumpiendo mis pensamientos—, vayamos a recorrer el claustro de Saint-Salvy. Después de la fatiga del trabajo suelo sentarme en sus jardines y dejo que sus piedras me hablen.

Asentí, y juntos caminamos por los adoquines hacia el claustro. Mi mal había desaparecido por completo y me volvía a sentir como de costumbre.

—Quiero mostrarle algo —dijo el médico cuando entrábamos en el claustro. Había algunas personas sentadas, leyendo el diario o contemplando los capiteles en ruinas. El médico señaló dos figuras esculpidas en uno de los capiteles: una mujer y un hombre, rodeados mutuamente en un abrazo formal. —Siempre me digo que estas figuras representan a Marcebru, el poeta, y su *fin' amors*, Amédée de Jois.

—Sus rostros parecen haberse borrado —dije, notando los lisos visajes—. ¿Cómo puede identificarlos?

—Como médico estoy acostumbrado a diagnosticar la enfermedad. Mi tarea es sondear bajo la superficie. Estas esculturas no han revelado su identidad porque hay pocos preparados para imaginar quiénes son. Ve usted, *monsieur*, y lo incluyo en mi evaluación, algunos de nosotros nos dedicamos a la tarea de imaginar lo que no está allí. Optamos por invertir en su ausencia algo de nosotros. De esa manera somos capaces de distanciarnos de quienes somos, igual que Marcebru y Amédée de Jois. Ellos eligieron escuchar la voz que susurraba su destino más que la que expresaba sus deseos.

—¿Hicieron un pacto?

—En cierto sentido, sí.

—De blanca amistad —pude decir, recordando unas palabras que había leído en un poema de Marcebru.

—¿Amistad blanca? —El médico alzó las cejas. —Nunca he oído esa expresión.

Recité unos versos del poema de Marcebru en el provenzal original.

Non puosc dompnas trobar gair
Que blanch' armistatz no.i vaire
A presen o a saubuda
N'aja vergoigna perduda
Si que la meins afrontada
N'a laissat cazer un caire.

Raras veces conozco damas en quienes
La blanca amistad no se haya manchado,
O perdido todo sentido de modestia
En secreto o de otra forma. O que
La menos desvergonzada
No haya dejado caer de ella el velo.

—Notable —comentó el médico—. La blanca amistad bien puede haber sido su ideal, y, por supuesto, la razón de su pacto. Ni siquiera en la muerte podían separarse.

Contemplé el relieve esculpido de los amantes sin rostro. Parecían tan serenos. La ausencia de expresión, sin embargo, no anulaba mi sentimiento de simpatía por su difícil situación. La intimidad era su emblema, mientras luchaban por llegar a un acuerdo con lo que era su más sentida separación. Esta misma separación los vinculaba más aún que si hubieran estado juntos como amantes para quienes la muerte no fuera más que una lejana posibilidad.

—*Monsieur le docteur* —dije—. Debo agradecerle su consejo clínico. Parece que lo que me aquejaba, fuera lo que fuese, ha desaparecido. Me siento como un hombre nuevo.

—Eso, mi amigo, es enteramente problemático para cualquiera de nosotros. Hasta los cátaros aprendieron, a un alto precio, que la perfección puede ser una condición ilusoria. Casi una enfermedad, se diría.

Sobre nosotros, los amantes apenas se tocaban en su abrazo. Por primera vez empecé a imaginar una cierta presencia física en su mirada. En Amédée de Jois vi los delicados pómulos, sí, y ojos en los que resplandecía el mundo. En la frente de Marcebru, sin embargo, sólo percibí heridas.

17
Entre las ruinas

Cuanto más me adentraba en la antigua tierra de Oc, más me daba cuenta de la manera en que el viaje me iba cambiando. Por supuesto, descubrir por qué Marcebru arrojó el rollo de muerte al río seguía ocupando el primer lugar en mis prioridades, pero, al mismo tiempo, mi viaje se había convertido en una búsqueda personal en la cual tomaba conciencia de mi propia relación con los hechos a medida que se iban revelando. Aquitaine era ahora un país de preguntas, tanto sobre Marcebru como sobre mí.

Los conceptos de amor, muerte, bien, mal: todos convergían. No había palabras capaces de expresar lo que significaban en realidad. Los que defendían la perfección, y los que la condenaban como herejía, intentaban hallar palabras para expresar lo que no podía expresarse. El médico estaba en lo cierto: la verdad era una enfermedad. Marcebru y yo éramos parte del mismo conflicto: ¿abandonar este viaje de descubrimiento, o seguir adelante?

Yo estaba sumido en un antiguo dilema, no resuelto, mientras que la peregrinación de un poeta abrumado por el dolor empezaba a reflejar a un pueblo fuera de compás con la vida. Creencias opuestas habían incentivado a un pueblo a escalar nuevas alturas y a embarcarse en nuevas empresas. Fue trágico para Aquitania que triunfara el antiguo orden.

Simon de Montfort condujo una prolongada y amarga campaña contra los cátaros durante los primeros años del siglo XIII. No tomaba prisioneros. La muerte en la hoguera de tantos Perfectos, la destrucción de ciudades y aldeas, tantos hombres forzados a exiliarse en Lombardía y la lejana Bulgaria, llevaron no sólo a la destrucción de la tierra de Oc, sino también a la desecración de esa *joie* tan esencial para el alma.

Durante su vida, Marcebru cantó alabanzas a muchas cosas, desde la corte de Castilla hasta los salones de Guyenne, celebrando el poder de la alegría por donde iba. Su viaje era de asentimiento interior, mientras recorría los caminos de la poesía en busca de su esencia. En el corazón de su búsqueda, al parecer, se hallaba su creencia en *joie* como una acción enriquecedora de la vida antes que la expresión de un intento pío generado por un dogma o creencia formal.

Su viaje por Aquitania con el rollo de muerte no era tampoco distinto. En Guilhem-le-Désert, un monasterio construido en la desembocadura de las gargantas de dos ríos bravíos, se descubrió allí un pedazo de la Cruz Genuina, que fue lo que inspiró las observaciones de su abad, Foulques.

El benefactor del monasterio, Guilhem, nieto de Charles Martel y amigo de la infancia de Carlomagno, más adelante llegó a ser uno de los mejores oficiales del emperador. Ganó muchas batallas, en Nîmes, Orange y Narbonne, antes de vencer a los sarracenos en Barcelona. En su regreso a Francia, al enterarse de la muerte de su adorada esposa, decidió dedicarse a una vida de soledad.

Carlomagno le regaló el pedazo de la Cruz a su gran amigo por su lealtad y apoyo. Guilhem, con el tiempo, se retiró al valle de Gellone, donde construyó el monasterio. Murió allí en 812, en "olor de santidad", según relatan las crónicas.

En el rollo de muerte el abate Foulques escribe:

"Nuestra abadía fue construida por un santo guerrero, llamado San Guilhem. Fue él quien esgrimió la espada en defensa del Verbo. La defensa de la Cruz verdadera y todo lo que representa es parte de nuestra fe. La soledad, y las aguas claras de estas gargantas, son toda la armadura que necesitamos para defendernos del demonio. Él acecha bajo los hábitos y en las cavernosas fauces de la herejía. Los hombres deben abrazar la Verdadera Fe si quieren resistir contra los ejércitos de los infieles, que se enmascaran tras las palabras de los *cathari*.

"Marcebru, la muerte de vuestra amada está corrompida. Es como los clavos del Calvario que os atraviesan la carne con el duro éxtasis del arrepentimiento. Vuestro Descenso es inminente: permitid que bañen vuestro cuerpo en mirra, cuya fragancia huele a miel y rosas. En Saint-Guilhem, nosotros os deseamos el bien."

Beatie Marie, la abadesa del convento de Saint-Enimie, construido entre las viejas terrazas de piedra de la garganta de Tarn, donde todavía se cultivan vides, almendros, nogales, cerezos y durazneros, escribió sentimientos que también pueden haber provenido de la fundadora de su convento.

Santa Enimie, al parecer, era una princesa merovingia que rechazó todas las propuestas de matrimonio que recibió, prefiriendo dedicarse a Dios. Su padre, el rey, aun así la comprometió con uno de sus barones. La joven cayó enferma de lepra, y su joven pretendiente la abandonó. Un día, en un sueño, un ángel le ordenó a Enimie que partiera para Gévaudan, donde un manantial le devolvería su anterior belleza. En la fuente de Burie ella se sumergió y fue milagrosamente curada. No bien salió del valle, sin embargo, todos los síntomas de su enfermedad regresaron. Viendo que esto era una señal de Dios, Enimie decidió recluirse en una cueva y llevar una vida solitaria. Murió en 628 y está enterrada en un espléndido relicario de plata, convertido en una atracción de peregrinos. Muchos milagros se asocian con su nombre.

En el rollo de muerte Beatie Marie escribió:

> "Alabamos la memoria de Amédée, que renunció al amor por el Amor. No hay relicario suficientemente brillante para guardar sus preciosos huesos. Las puertas del osario de la angustia se han abierto de

par en par para recibirla. Nosotros, que permanecemos en esta vida, almas simples en las que el pecado retoza como las ardillas en primavera, nosotros asistimos a laudes en su honor. Recordamos que ella, prima de la arcipreste de la herejía, renunció a Todo antes de comprometer su lealtad con los vivos o los muertos.

"Poeta, errante entre mundos, considerad su muerte como una dádiva. Con Amédée de Jois el martirio yace como una diadema sagrada sobre la cabeza de todos nosotros."

Etienne de Muret, fundador del priorato de Comberoumal, fue un austero ermitaño que renunció a sus bienes materiales y se retiró a la soledad de las montañas. Allí construyó un pequeño claustro, de diseño sobrio, y una iglesia con ventanales sobre la nave. Se dice que a través de esos ventanales fluía la luz como las alas de los ángeles.

Escribió:

En el lejano Egipto, en una cueva,
Antonio nos mostró el camino.
Los cuervos lo alimentaban y él amansaba
Los leones del desierto, seguro de la merced

Bajo los auspicios de la soledad.
Con sus colas con púas, los diablos
Lo aguijoneaban hasta que él sangraba
Lágrimas de alabanza en el nombre
De Nuestro Salvador, Cristo
Cuya Corona de Espinas
Lastima nuestra frente hasta el día de hoy.

Aquella doncella ha oído el llamado de Dios
Y se ha entregado a su sudario.
La muerte en el hábito de la oscuridad
Fue un magro consuelo luego de
Su batalla con el diablo.
Se dice que la blanca amistad
Era su vocación; yo digo que
Un río de lujuria la consumió
Con su torrente.

Elogio y culpa acompañaban la memoria de Amédée por donde iba Marcebru, y yo me daba cuenta de que esta confusión que rodeaba el misterio de su muerte estaba alojada en mí. Un atardecer de otoño me encontré solo en las ruinas de la fortaleza de Minerve, en medio de una región de áridas gargantas. Debajo convergían los ríos Cesse y Briant. Había cuevas prehistóricas esparcidas en las abruptas orillas de los ríos, y las hojas se amontonaban en el sendero entre las almenas rotas.

Fue aquí, en 1210, donde tuvo lugar una de las batallas más dramáticas de la cruzada albigense. Simon de Montfort, a la cabeza de siete mil hombres, se detuvo ante los portales de esta fortaleza. Adentro, numerosos cátaros habían buscado refugio. Después de cinco semanas de sitio, ya sin agua, los habitantes se rindieron. Montfort les ofreció una elección: arrepentirse y convertirse, o ser pasados por las armas. Ese día, ciento ochenta perfectos se ofrecieron como mártires de su causa.

Amédée de Jois había elegido el mismo camino, buscando la muerte antes que sufrir la ignominia de fracasar en su búsqueda. Los altos pinos del lugar, cuyos resistentes troncos se elevaban por encima de los muros en ruinas, simbolizaban la aspiración de Amédée y su sueño de la vida perfecta.

Apoyado en las almenas que dominan los ríos, traté de entender qué habría presionado a Amédée de Jois y a Marcebru a cimentar esa evasiva blanca amistad. ¿Qué esperaría obtener Marcebru? ¿Tendría su amor alguna falla? Empecé a pensar que cada uno de ellos abrigaba un secreto que no estaba dispuesto a revelar al otro.

Una turista se me acercó cuando estaba yo apoyado sobre las almenas, quizás interpretando mal mi estado anímico.

—*Monsieur*— me dijo—, espero sinceramente que se sienta bien.

—Por supuesto. Sólo estaba pensando en aquellos perfectos que murieron aquí en defensa de sus creencias —le dije—. Me parece una gran tragedia.

—Tantos buenos hombres y mujeres martirizados —se conmiseró la mujer—. Tanto odio desatado. Si a Montfort le hubiera importado más la vida que la ortodoxia religiosa esto jamás habría pasado.

—Nunca debemos olvidarnos de eso —repliqué.

Traté de imaginar a Marcebru, con el rollo de muerte sobre el hombro, peregrino entre estas cuestiones espinosas, aguijoneado y sangrando.

—La vida es su propia dádiva, no cómo decidimos ordenarla —observó la mujer, cortando una piña de uno de los árboles y arrojándola a la garganta.

18
La corte del inquisidor

¡Carcassonne, ciudad de torres y fuegos inquisitoriales a orillas del Aude! Marcebru pasó algunos días dentro de sus murallas como huésped de herejes y de los intranquilos enviados papales ansiosos por expulsarlos antes de que envenenaran a toda Francia. Él, poeta de la libertad y del ennoblecedor poder del amor, debe de haberse considerado un extraño en una ciudad que más adelante, en 1209, caería bajo el ejército de Montfort y llegaría a convertirse en una de las cortes más notorias del inquisidor en el sur de Francia.

Traspuse el reducto conocido como Porte Narbonnaise y entré en la ciudad con las palabras de Marcebru protegiéndome como un escudo contra las flechas enemigas:

Qui ses bauzia
Vol Amor albergar,
De Cortezia
Deu sa maion jonchar;
Get fors feunia
E fol sobreparler;
Pretz e donar
Deu aver en bailia,
Ses ochaio.

Sin engaño
Quien al amor
Desea albergar
Su casa habrá de decorar
Con cortesía;
Expulsar
El mal hablar
Y la indignidad;
Sin cuestión
Deberá ser víctima
Del honor y la generosidad.

Yo esperaba que sus palabras resultaran suficientes para protegerme durante mi estadía en Carcassonne. Por más que lo intentaba, no podía desechar la sensación de que era vigilado por los fantasmas de los inquisidores, que trataban de implicarme. Pocas ganas tenía de que se me acusara de *agent provocateur*.

Sospechaba que Marcebru había estado en Carcassonne por una razón. Quizá deseaba averiguar más sobre los vínculos de Amédée de Jois con la herejía cátara. El cinturón cátaro descubierto bajo su hábito al morir puede haber despertado en él dudas persistentes acerca de su vocación de monja. ¿Era católica o cátara? Ante los ojos de Marcebru, Amédée de Jois encarnaba la *cortezia*, esa cualidad de perfección que el poeta aborrecía ver anulada, fuera cual fuese la forma de fe que ella hubiera adoptado.

Todo lo que yo tenía para tomar como base de los movimientos de Marcebru era el rollo de muerte. Como un relicario, contenía los retorcidos dedos del lenguaje, cada palabra en concierto con la opinión, el misterio y el prejuicio. Yo me había convertido en su guardián, su custodio. Ya no llevaba conmigo la traducción de un pergamino manchado por el agua, sino un texto de revelación.

Una vez instalado en un hotel pequeño frente a la Place Saint-Jean, saqué el rollo de muerte y leí las observaciones de algunas de las personas que Marcebru había conocido en Carcassonne:

> "Pedís un parche para que sea cosido a vuestra alma —escribía Raymonde Arsen, una costurera analfabeta que había permi-

tido que Marcebru transcribiera sus palabras—. Pero nosotros, los humildes, sólo sabemos cómo salvar del olvido a nuestra perdida naturaleza. ¡Es todo lo que tenemos!"

• • •

"Yo he sido un asno y una ardilla en vidas anteriores —confesaba Pierre Clergue, un pastor arrestado por hereje que llevaba una cruz amarilla sobre su vestimenta como parte de su penitencia—. De modo que aún le resta a mi alma llegar a un cuerpo en que sea salvada. Aguardo el tiempo en que deje esta última túnica y regrese al cielo."

• • •

"El remiendo de las suelas de los zapatos es mi oficio —anunciaba un zapatero—. El instinto para abandonar esta tierra no es rival para el cuero gastado: esto lo sé. Vuestra dama, *bon homme*, trató de volar antes de aprender a caminar. Los pies, *bon homme*, son el único medio que tenemos para hacer el largo viaje al cielo."

• • •

"Dios y la Virgen María no son más que el mundo que vemos y oímos", observaba un campesino cátaro de Caussou, sabiendo que sus sentidos no lo traicionarían.

Estas observaciones eran las de personas que sólo poesían los rudimentos de una fe de la que habían tomado real conciencia. Sinceros en su expresión, no obstante, anunciaban a cualquiera con el oído aguzado a detectar la herejía que buscaba distanciarse de la doctrina de la Iglesia establecida. Su lealtad a un lugar, al pasado y a un dogma mundano, alimentado en los rugosos valles de los Pirineos, influía en su manera de pensar. No era para ellos la enrarecida doctrina de los Padres de la Iglesia, formada a martillazos por disputas y argumentaciones.

Decidí visitar la torre en la que el inquisidor alojara su corte. En su austero interior se habían presentado innumerables expedientes cuidadosamente preparados como evidencia contra los acusados de herejía. Los intransigentes eran condenados a muerte en la hoguera; los que se arrepentían eran encarcelados, multados o sentenciados a llevar la cruz amarilla. El olor a santidad aún impregnaba el recinto, mezclado con un tufo sulfuroso.

Dentro del edificio llegué a un cuarto dominado por una columna central. Todavía estaban, incrustadas en la piedra, las cadenas usadas para asegurar a los prisioneros. Debajo de este cuarto encontré una celda, a la que se accedía por una escalera de caracol; allí se torturaba a los herejes. Mentalmente creí oír las voces de los acusados, confundidos en sus creencias, respondiendo a las preguntas destinadas a obligarlos a confesar.

—Cuartos como éste me recuerdan cuánto hemos perdido en función de defender nuestras creencias —dijo una voz a mi lado.

Me di vuelta y vi a una mujer, quizá de cerca de cuarenta años, elegantemente vestida, aunque de una manera informal, con una expresión aturullada pero inteligente. Estaba iluminada por el sol que entraba oblicuamente por una rendija de una pared apartada.

—Supongo que todos hemos tenido que hacer frente a un inquisidor en algún momento de nuestra vida.

—Como nuestra conciencia, tal vez —respondió la mujer, anticipando lo que yo no me había atrevido a decir.

—Supongo que es usted una estudiante de la historia local. Cuartos como éstos provocan recuerdos desagradables.

—Los cátaros eran nuestra última esperanza, *monsieur*. Eligieron una forma de creencia que crearon para ellos mismos. Por supuesto, para muchos teólogos, la doctrina no era particularmente original. Sabemos que había viajado desde lejos en los labios de los mercaderes, y que en la ruta se fue cargando de impurezas. Sabemos, también, que esta doctrina gnóstica se discutía alrededor de los fuegos de las aldeas y en la intimidad de las chozas, y que nunca fue sujeta al escrutinio del pensamiento crítico, como pasó con el dogma cristiano. Después de todo, se trataba de una doctrina furtiva, una renegada que forcejeaba por llegar al corazón y a la mente de hombres y mujeres decididos a romper con el poder del Papa. Puede no haber sido sutil, y alentado algunas formas de comportamiento extremo, pero por lo menos reunió a la gente en un espíritu de amor y fraternidad. Roma no podía quitarles eso a los cátaros, *monsieur*. No lo hizo, y jamás lo hará.

—Usted habla como si la doctrina subsistiera.

—*Monsieur* —confesó la mujer—. Yo provengo de una aldea pequeña, llamada Montaillou, ubicada en las colinas al pie de los Pirineos. Mis antepasados fueron los últimos en someterse a la Inquisición. Fueron rodeados en 1320 y condenados a la hoguera o a la prisión. Con su muerte se extinguió cierto espíritu, apagado de un soplido, como una vela. Sin embargo, su memoria vive en sus descendientes.

No supe qué responder.

—Permítame contarle un sueño que tuve de niña. Vi a dos hombres, ambos cátaros, reclinados a la orilla de un arroyo. Un hombre estaba dormido, mientras que el otro permanecía despierto. De repente, el que vigilaba vio que de la boca de su amigo salía una lagartija. El reptil se arrastró hasta el arroyo y cruzó al otro lado sobre una rama. En el otro lado, visible para el observador, había un cráneo de asno incrustado en la tierra. La lagartija se acercó, luego entró por una órbita del ojo y salió por la otra. Finalmente volvió a la orilla, y descubrió que la rama ya no estaba; había sido arrastrada por la corriente. Mientras tanto, el durmiente empezó a sacudirse. A pesar de los esuferzos de su amigo, no podía despertarse. Al darse cuenta de lo que pasaba, éste corrió y puso otra rama en la corriente. La lagartija se subió, reptó hasta donde estaba el hombre dormido y se le metió por la boca. El hombre se despertó y le dijo a su amigo que había tenido un sueño extraño.

"Soñé que cruzaba un puente —explicó el hombre—. Entré en un gran palacio con muchas torres y cuartos suntuosos. Cuando quise regresar, sin embargo, vi que el puente había desaparecido. Si trataba de cruzar el río a nado, me ahogaría. Ésa era la razón por la que me sacudía en mi sueño. Hasta que reconstruyeran el puente, yo sabía que no podía regresar; ni siquiera despertarme.

—¿Puede usted interpretar su sueño? —le pregunté.

—Durante años el sueño fue un misterio —siguió diciendo la mujer—. En el curso de mi vida me casé y seguí una carrera sin comprender lo que significaba ese sueño. No saberlo afectaba todo lo que hacía o pensaba. La felicidad, el amor y el éxito mc eludían todos esos años.

—¿Ha encontrado la paz que buscaba?

—En realidad, un caballero me dio la respuesta en esta gran ciudad —replicó la mujer, su rostro iluminado por el sol que entraba por la angosta rendija—. Era un conocedor a fondo de la herejía, además de un erudito en la cultura árabe. Él pudo interpretar el sueño.

—¿Y?

—Por supuesto que la lagartija es mi alma, *monsieur*. Permanece en el cuerpo en todo momento. Pero en ocasiones le gusta liberarse y andar a su antojo, abandonar el cuerpo y entrar y salir de la muerte. Si encuentra que es imposible volver, debido a algún trauma profundo, entonces su ausencia ocasiona una aflicción extrema. El sueño me estaba diciendo que mi alma había dejado mi cuerpo cuando era niña, y hasta que el erudito me proporcionó la llave, viví sacudiéndome en una especie de aturdimiento, despierta pero en realidad dormida. Así seguí gran parte de mi vida. Luego terminé dándome cuenta de que, oculta en mi sueño, estaba toda la doctrina del catarismo. Soñé con mi herencia y con el pasado de mi familia, sin darme cuenta. Llevaba la herejía en los huesos, no fuera de mi cuerpo, e intentaba volver, el erudito me aconsejó que lo reconociera y permitiera que entrara en mí como una amiga.

—Notable historia —dije—. Siento que he viajado desde tan lejos, aceptando todo desvío que me ha sido ofrecido, como si yo también fuera una lagartija abandonada en la orilla opuesta.

Le expliqué a la mujer las razones por las que estaba en Aquitania, mi obsesión con Marcebru y su rollo de muerte, y mi preocupación por Amédée des Jois. La mujer escuchó comprensivamente, alentándome a proseguir. Sin darme cuenta al principio, mi confesión nos había acercado. Por un momento éramos confidentes o —¿me atrevería a decirlo? —blancos amigos.

—Monsieur —dijo la mujer con tono confidencial—. Permítame darle la dirección del erudito que le mencioné. Por lo general, él no recibe a los visitantes, pero creo que haría una excepción en su caso. Sus intereses y los de él coinciden. Lo que usted ya ha descubierto también le interesará a él.

La mujer extrajo una tarjeta de su cartera y me la entregó. Leí:

Prof. Jean-Paul de Langue
gens frairina

31 Rue Quartier
Saint-Nazaire
Carcassonne, Ocitan

—¿*Gens frairina*? —pregunté.

—Significa "la hermandad". Lo que implica, sin embargo, es algo que no puedo decirle —agregó la mujer.

—Da su residencia como Ocitan, no Francia.

—Por lo que sé, el profesor de Langue vive en un país imaginario. Cuando lo conozca lo entenderá.

Nos dimos la mano. La mujer sonrió cuando nos separamos. El sol era una flecha de luz en su espalda.

19
La hermandad

Tenía en las manos una tarjeta con la dirección de la casa de Jean-Paul de Langue, erudito sobre temas relativos a la cultura árabe y miembro de una oscura hermandad. Un elemento de conspiración, de pensamiento oculto, era ahora parte de mi exploración. Ya no seguía un camino simple, trazado a través de Aquitania por el rollo de muerte de Marcebru. Su contenido, antes un familiar emisario de expresión, empezaba a reflejar algo enteramente distinto. Ahora se trataba de un documento que involucraba una clase especial de peligro.

Dando vuelta sus páginas esa noche, después de comer, me vi envuelto poco a poco en su astuto artificio. Todos los correspondientes de Marcebru tenían el amor en mente, pero no, por cierto, un amor común y corriente. Cierta pasión embellecía su prosa, haciéndola brillar más que el mero lustre de las palabras.

> "El amor puro consiste en la contemplación de la mente unida al afecto del corazón. Enlaza los corazones de los amantes con todas las emociones del deleite. La plenitud llega a quienes rechazan la gracia de Venus", escribía Arnaut, un juglar que regresaba a la corte de Tolosa.
>
> • • •
>
> "Hay un solo tipo de amor que es puro —anotaba otro poeta—. Llega tan lejos como el beso y el abrazo, y el contacto modesto con el amante desnudo. ¡Ah, el placer exquisito de renunciar al último solaz! Toda la excelencia del carácter emana de esa aventura. No hay doncella, viuda ni esposa que pueda ser corrompida por ese amor. Ellas, como él, se hallan al borde de una vida inmaculada cuando se sumergen en esta tormenta."
>
> • • •
>
> "No es pecado cometer esta clase de adulterio —escribía Alanus de Insulis—. Más allá de toda posesión, anhela una

unión entre las mentes liberadas de su deseo. Vos, Marcebru, os habéis aventurado en terreno enemigo y traído de allí sus normas: conocéis más que nadie el significado de *fin' amistatz plevida**. España, ¡ah, voraz por ser castigada! ¿No fuisteis vos quien anunció:

¡Ay, amor puro, fuente del bien
Que ilumináis el mundo!

o:

Como el vino proviene de la uva,
Así el amor ennoblece al hombre?"

• • •

"El amor es como una golondrina: vuela al sur durante el invierno, y regresa cansada de su viaje. Allí se posa sobre su cama y se estudia sus extremidades dormidas. 'Practica el amor puro conmigo —gorjea—, 'ahora que la distancia entre nosotros ha sido consumida'. Ese día la felicidad de la pasión acalla todo reproche", escribía un cazador furtivo de Ariège.

* "El amor más puro" (provenzal).

Estos hombres hablaban de un amor claramente más refinado que el de la sensualidad. Hablaban de un amor motivado por un deseo de intensificar el yo más allá del punto de la mera gratificación, para poder unirse al amante de manera más estrecha e íntima. Era un curioso sentimiento, de ninguna manera relacionado con el catolicismo o la visión clásica del amor. La cuidadosa articulación del amor sensual que hacía Ovidio poco tenía que ver con la idea de restricción que impregnaba el *fin' amors*.

¿Por qué era tan importante para los amantes abstenerse del contacto íntimo? ¿Qué esperaban ganar al orquestar sus deseos para luego suprimirlos? Esta emoción, ¿provenía del catarismo y su desdén por la carne, o del catolicismo y su aborrecimiento de lo carnal? ¿O era tan sólo que el deseo insatisfecho otorgaba a la vida un sabor excitante que ni la guerra ni el éxtasis religioso eran capaces de reemplazar? Sabiendo que fuera lo que fuese lo que hubiera inspirado a Marcebru a dedicar el rollo de muerte a la memoria de Amédée de Jois dependía de la respuesta a estas preguntas, decidí visitar a M. de Langue por la mañana.

Su apartamento estaba situado en el segundo piso de un edificio cuya implacable fachada de piedra me hizo pensar en una fortaleza. Contemplando sus ventanas, casi esperaba ser recibido con aceite hirviendo y flechas. Subí la escalera hasta el descanso frente a la puerta de M. de Langue, con baldosas al estilo de un patio morisco. Golpeé. No hubo respuesta. Aceptando el silencio como un rechazo, me di vuelta para bajar la escalera. Entonces oí una voz que me hablaba desde arriba:

—*Monsieur*. Perdone mi tardanza. Estaba ausente, por así decirlo. Por favor. Es usted bienvenido.

Levanté los ojos, y vi a un hombre delgado asomado a la balaustrada, de contextura frágil, ataviado con un caftán. Una chivita blanca acentuaba la angularidad de su cara. Los ojos profundos le daban un aire remoto a su manera de ser, como si pasara gran parte del tiempo fuera de su cuerpo.

Me hizo pasar a su apartamento, un lugar donde reinaban la austeridad y una luz tenue. La sala parecía una carpa beduina. Había alfombras esparcidas sobre el piso, mesas de bronce taraceado sobre tarimas de madera cargadas de libros y almohadones bordados contra las paredes. La única concesión a la vida de un estudioso eran los libros, muchos de los cuales estaban escritos en árabe. Yo había entrado en el dominio de un derviche. Hablamos de generalidades por un rato. M. de Langue manifestó su interés en mi viaje. Conocía la obra de Marcebru por sus propios estudios. Colegí por sus observaciones que su campo especial de interés era la influencia de la literatura hispanoarábiga en el pensamiento medieval. Él veía vínculos entre la lírica de los trovadores, los poetas moriscos y las ideas de filósofos islámicos como Averroes y Avicena, que habían penetrado en el pensamiento europeo.

—Los Pirineos funcionaron como una placenta para Europa —me informó—. Francia, y por cierto toda Europa, se nutrieron con las ideas del Islam que llevaron por los angostos senderos de montaña los visitantes provenientes de la España morisca. Inclusive hoy todos nos bañamos en la luz reflejada de la media luna.

—Muchos considerarían execrable una idea así —observé.

—En nuestro actual clima ortodoxo, quizá. Pero en el siglo XII los reyes, nobles y eruditos anhelaban conquistar Palestina en nombre de Dios. Era tanto un anhelo filosófico como un deseo de recobrar Jerusalén para la fe. Como era inevitable, esta confrontación entre la cruz y la media luna resultó ser una contienda de enorme consecuencia. A pesar de la religiosidad de la época, los hombres cultos de ambos lados de los Pirineos terminaron respetando las creencias de sus enemigos. Los árabes absorbieron las ideas de los antiguos griegos, y los estudiosos europeos bebieron de la fuente del misticismo árabe.

—Un *quid pro quo* del pensamiento —sugerí.

—Lo que nos lleva a Marcebru y Amédée de Jois —replicó M. de Langue, acercando una estantería rodante en cuya parte superior había un libro abierto—. Su amor va al corazón del conflicto entre el cuerpo y la mente, que ha mortificado a los filósofos. Tal es la naturaleza inflexible del *fin' amors*. Impone la sentencia de muerte en todos quienes lo practican.

—Como algunos insectos que matan a su pareja después de la cópula, los amantes verdaderos deben morir.

M. de Langue puso una mano sobre el libro abierto.

—Permítame contarle una historia —dijo— sobre una tribu beduina conocida como Bani Odhrah. Según la tradición, las mujeres jóvenes son bellas y sus hombres de una pureza ejemplar. Se decía de esta gente que cuando amaban, morían.

—Eso no es posible, con seguridad.

—¿Puedo leerle algo de este libro, o su mente está cerrada a esa posibilidad? —M. de Langue me reprendió suavemente.

—Lo siento. Por favor, continúe —dije.

—Cuenta cómo Djamil, un joven Odhrahi, se enamoró de una muchacha beduina llamada Buthania. Una noche oscura, después de repetidos intentos por encontrarla a solas, por fin logró su objetivo. Hablaron durante horas, como suele pasar con los jóvenes enamorados, hasta que Djamil, incapaz de reprimir sus sentimientos hacia Buthania, le rogó que se sometiera a sus caricias. La joven se negó, recordándole la naturaleza transitoria de la pasión y la amenaza del castigo divino. Confundido y avergonzado, Djamil se vio forzado a pedir disculpas.

"A pesar de ser rechazado por el padre de Buthania, ella y Djamil se siguieron viendo en secreto. El padre, por su parte, casó a su hija con un tal Nubaith, con la esperanza de que su amor por Djamil moriría. Pero Djamil y Buthania continuaron reuniéndose por la noche, a la fría luz de la luna, para compartir su amor. Enojados por esta relación, los parientes de Buthania azuzaron a las autoridades en contra de Djamil, quien se vio obligado a huir. Adoptó la vida de un cantor vagabundo, y fue de un lado a otro cantando sobre el amor, hasta que murió en Egipto, según algunos, con el corazón destrozado. Todo lo que queda de su amor son los recuerdos de quienes asistieron al último encuentro entre los enamorados.

“Según estos informes, Buthania se escabulló con sus compañeras entre las sombras de las palmeras una noche. Allí la esperaba Djamil. No se separaron hasta el amanecer. De ese fatídico encuentro, Djamil escribió luego: ‘Buthania me dijo que a menos que me fuera de inmediato, su hermano y su padre me apresarían. Atemorizado, me dispuse a irme, y entonce la vi sonreír. Supe entonces que ella jamás me entregaría a sus parientes. La tomé por los bucles y la besé en los labios. El placer que tuve fue igual al de una garganta reseca al beber agua fresca de un manantial’. Más tarde, cuando yacía moribundo en Egipto, Djamil llamó a su amigo, Ibn Sahl, para poder hacer su confesión: ‘¿Qué dirías de un hombre que nunca bebió vino, que nunca fornicó ni asesinó, que nunca robó, y que honró a Dios?’ Ibn Sahl respondió: ‘Un hombre así con toda seguridad entrará en el Paraíso’. Y le preguntó: ‘¿Quién es ese hombre?’ A lo que Djamil respondió: ‘Ese hombre soy yo’. Ibn Sahl dijo: ‘En el nombre de Alá, ¿cómo puedes decir esto cuando durante los últimos veinte años no has hecho más que celebrar los encantos de Buthania?’.

“*Monsieur*. —M. de Langue levantó la cabeza por un momento, y se dirigió a mí. —La respuesta de Djamil va al corazón de la relación entre

Marcebru y su *fin' amors*. 'Ahora que estoy a punto de morir, que se me prive de la intercesión de Mahoma si alguna vez posé sobre ella una mano con intención impropia', dijo Djamil.

—¿Está sugiriendo usted que Djamil temía la retribución divina si le hacía el amor a Buthania?

—De ninguna manera. Sus actos estaban más allá de la censura de cualquier precepto establecido por costumbre o ley, o hasta por Dios. Djamil sólo estaba interesado en preservar su amor. Sabía que poseerla sexualmente no era más que algo vacío. Se conformaba con una palabra, con sólo ver a Buthania, con la infrecuencia de sus encuentros, con un raro beso. Su amor era un elixir más potente que la vida.

—Por fin fue Buthania quien le dio a Djamil su razón para morir —prosiguió diciendo M. de Langue—. En su último encuentro, antes que él huyera a Egipto, mientras le suplicaba a Bethania que le devolviera su sano juicio para que algún día pudiera llevar una vida normal, ella le respondió: "Tu muerte está profundamente arraigada en ti, y crecerá. Cualquier cosa que desees está más allá de tu alcance. Acepta esto".

—¿Cómo iba él a aceptarlo, sabiendo que la separación le causaría un dolor constante? —pregunté.

—La práctica del amor cortesano involucra la

muerte de la persona amada. Ésa es su única liberación —respondió M. de Langue.

—De modo que Amédée de Jois no murió por su propia mano para escapar de su cuerpo, sino para ser liberada de las ataduras del *fin' amors*.

—Una suposición válida, aunque no agradable.

—¿Por qué lo dice?

—¿Alguno de nosotros está preparado a morir para preservar intacto un amor que hemos adquirido por un acto supremo de represión?

—Por supuesto que no. La única muerte que idealizamos hoy es la que proviene del exceso —observé.

El relato de M. de Langue me había abierto una puerta. Más allá se extendía una llanura poblada de valores antes no considerados. Había viajado a Aquitania en búsqueda de razones más convencionales para el comportamiento de Marcebru con posterioridad a la muerte de Amédée de Jois. La pasión no correspondida, el rechazo, una enfermedad espiritual obsesiva, inclusive un amor trágico: éstas eran las cuestiones que yo quería explorar. Si no obvias, al menos eran explicables.

La interpretación de M. de Langue cambiaba por completo la naturaleza del argumento. Su historia de Djamil y Buthania sugería una forma de pensar que estaba más allá del deseo, la pasión, la satisfacción sexual, inclusive los celos. El amor de los amantes beduinos siempre había permanecido dentro del reino de lo concreto. Estaban tan unidos el uno al otro, sin embargo, que la única manera de escapar de los grilletes de la no posesión era la muerte. Ésta era la muerte elegida por Marcebru como base de su propio dolor, pues le abría el camino para explorar la aplacación del deseo como comienzo de una verdadera indiferencia.

M. de Langue interrumpió mis pensamientos.

—El hecho es, *monsieur*, que por sus actos nos han brindado algo único.

—¿En qué sentido? —pregunté—. No, no responda. Creo que lo sé.

—Para agradar a un solitario como yo, confío en que me otorgará el beneficio de sus conclusiones.

—M. de Langue —empecé diciendo, sintiendo que lo que tenía que decirle podría aumentar nuestra amistad—, usted ha puesto toda su vida al servicio del estudio. Como sabe, con frecuencia hacemos suposiciones apresuradas sobre el origen de nuestras ideas, nuestras creencias y nuestra cultura. Yo siempre creí que Marcebru se había hecho al camino para mitigar su dolor por la pérdida de su *fin' amors*, y que el lenguaje era su bastón. Pero ahora no estoy tan seguro.

—Las palabras pueden actuar como camuflaje. A veces disfrazan el significado, ocultando lo que deben revelar.

—Sin embargo, ¿de qué otra manera podemos describir lo que usted me ha relatado sin palabras?

—Es un misterio que yo no puedo desentrañar —respondió M. de Langue, cerrando el libro—. Hacerlo bien podría conducir a su extinción.

—De modo que usted me aconseja que me aleje del borde del abismo.

—El lenguaje es la práctica de llevar las cosas al borde, *monsieur*. Es el arte de dar vuelta alrededor de una luz en la oscuridad. La luz y el lenguaje son como mellizos, idénticos pero sin embargo diferentes. Nuestra tarea es encontrar la manera de permitir que uno pueda reflejarse en la gloria del otro.

—M. de Langue, su tarjeta de visita sugiere que usted pertenece a una institución denominada *gens frairina*. ¿Es una secta, una hermandad, o sólo una fraternidad de mentes afines? —Es una asociación singular, *monsieur* —respondió el hombre, perdido entre los pliegues de su caftan—. Verá, los únicos miembros somos yo y mis pensamientos.

—¿Es una orden sólo para usted?

—¿Adónde más puede ir uno a compartir la más solitaria de las profesiones? —Los estudios e investigaciones siempre tienen sus amigos. Hay redes, simposios, facultades universitarias y revistas especializadas a las que se puede contribuir.

—Como Marcebru, yo debo permanecer como el miembro solitario de una organización cuya tarea es protestar contra la derrota.

—¿El amor, una derrota? Eso me parece difícil de aceptar.

—*La victoire*, amigo mío, consiste en superar hasta eso —replicó M. de Langue, disfrutando de la intimidad de la palabra en francés.

Me di cuenta entonces de que el hombre me había admitido en su *gens frairina* como a otro buscador en persecución del artificio de las palabras.

20
Una carta de un amigo

¿Qué sentido tenía continuar?, me pregunté. Dadas sus reservas con respecto al poder de las palabras, parecería que M. de Langue hubiera querido impedir toda investigación ulterior. No obstante, yo sabía que el lenguaje era el único instrumento de que disponíamos Marcebru y yo. Por fin empecé a creer que M. de Langue nos desafiaba a un diálogo sin palabras. ¿Era esto lo único que nos quedaba, volver la espalda a la comunicación y convertirnos en una sociedad de uno?

Su tienda beduina se había convertido en un *tekke*, un lugar de encuentros secreto en el desierto. Él y Djamil eran de la misma mentalidad: abandonaban la dicha como si fuera poco más que una estación en el camino. Más significativo resultaba que él, Djamil y Amédée de Jois hubieran escogido una senda similar, una senda cuyo destino era una especie de muerte en vida, pues todos ellos se habían apartado de los afectos del corazón en distintas formas.

Yo jamás esperaba que me ofrecieran esto como alternativa. De hecho, prefería avanzar por la senda del lenguaje como una clave de la vida antes que perder el contacto con la palabra. Después de todo, era la única herramienta a mi disposición que podía ayudarme a liberarme de la esclavitud del no saber.

Sin embargo, el consejo de M. de Langue claramente había ayudado a la mujer que conocí en la torre del inquisidor. Ahora ella sabía quién era. Llevaba en los huesos la herejía, esa eterna diatriba contra el absolutismo que había dividido a una nación. Ella sabía que disentir con la ortodoxia era un hecho fundamental de sus orígenes. Que hubiese perdido este derecho al olvidar el pasado ya no era de importancia. M. de Langue la había orientado en la dirección de asumir su legado como cátara en silencio como manera de redescubrirse a sí misma.

Al parecer, había ahora tres miembros de la hermandad, no uno. O quizá cuatro, si se incluía a Marcebru. Era un sueño, esta sociedad de solitarios, un lugar donde podía desmantelarse el lenguaje para poder extraer su poder de liberación. Saber que Buthania le había dado a Djamil su razón para morir me hizo ver que yo estaba ante un problema antiguo como el mundo: La naturaleza de nuestra muerte ¿crece en nosotros en relación con la vida que llevamos, o está arraigada dentro de nosotros desde el comienzo?

Mientras tanto, una carta de mi viejo amigo Horace Winterton me estaba esperando cuando llegué al hotel. La abrí. De todos cuantos conocía, él era el único capaz de ayudarme a resolver este problema.

Mi querido amigo:

Últimamente me he pasado el tiempo en Kew junto al río consultando a los siete sabios en beneficio tuyo. Sus plumas, como podrás imaginar, nunca se encrespan. No sé por qué algunas criaturas tienen la bendición de parecer tan adecuadas para este mundo, mientras que a otras les resulta tan difícil justificar su merecimiento. No es un accidente que los cisnes tengan la tendencia a considerarnos con tanta ironía, pues no se han acostumbrado a nuestro deseo de reverenciarlos. Como dice Nietzsche, cuando parpadeamos su nobleza se nos escapa.

Avicena, uno de los más grandes filósofos árabes, creía que el papel del saber dependía del *ascenso de nuestra alma al Agente de la Inteligencia, soberano de la décima y última esfera celestial en el orden de las inteligencias que emanan desde lo alto. Sucede que estoy de acuerdo con él, aunque, como sabes, siempre me he sentido seducido por todos estos sistemas elegantes del pensamiento. Sin embargo, inclusive él encontraba imposible explicar lo que quería decir, excepto mediante la alegoría. Finalmente, abandonó la metafísica por la metáfora.**

Contaba la historia de cómo acompañó a un grupo de cazadores que usaban trampas para aves. Muchas de ellas sucumbieron al cebo de los cazadores y fueron atrapadas en sus redes, inclusive él mismo. Como ellas, pronto se encontró encerrado en una jaula donde el tiempo transcurría con

---

* El concepto del Agente de la Inteligencia de Avicena encuentra eco en el *De anima*, de Santo Tomás de Aquino, donde sugiere que la unión otorga al alma contacto con la belleza absoluta, el bien absoluto y la verdadera elegancia. La aptitud del alma para esta unión se realiza mediante el estudio, el saber y la ciencia. Se logra a través de una emanación del Agente de la Inteligencia, una iluminación por la que éste, que contiene los modelos y principios del mundo inteligible, confiere las formas al alma. "Así como el sol es visible en sí mismo y hace visible realmente lo que era visible sólo *in potentia*, de la misma manera el Agente de la Inteligencia es en realidad inteligible en sí mismo y hace inteligible lo que antes sólo lo era *in potentia*."

lentitud y el recuerdo de su antigua libertad le aguijoneaba la conciencia. Después de un rato se fue acostumbrando a su prisión.

Algunas de las aves lograron escapar, sin embargo, cosa que lo puso alerta con respecto a su situación. Les pidió que le enseñaran también a él a escapar, y ellas lo hicieron. Con su ayuda pudo acompañarlas en su vuelo al hogar. De regreso encontraron ocho montañas altas, seis de las cuales lograron sobrevolar después de persistentes esfuerzos. Subieron a la cima de la séptima, y descansaron. Ante ellos se abría una vista de belleza y abundancia sin par.

Para cuando llegaron a la cima de la octava montaña, vieron que el pico estaba rodeado de nubes. Allí encontraron también aves de inmaculados colores que los guiaron a través de la niebla hasta el palacio del Gran Rey. Durante su audiencia con él le describieron su miserable condición y le pidieron ayuda. De inmediato, él le ordenó a un mensajero que se les acercara y les cortara las cadenas. El filósofo se dio cuenta de que el mensajero era el mismo ángel de la muerte.

Avicena describía al Gran Rey en detalle. Representaba la unión de todo lo que puede imaginarse. La belleza y la perfección absolutas dominaban su semblante. El filósofo vio que el Gran Rey era nada menos que el Agente de la Inteligencia, la esfera de excelencia que sólo puede alcanzarse después de una gran lucha.

Por supuesto que esta historia tiene su moraleja. Yo no me molestaré en elucidarla para ti, conociendo tu propensión a explorar estas cuestiones por ti mismo. Baste decir, amigo mío, que esta historia llega a la esencia del catarismo y su deseo de desprenderse de todo lo que inhibe. Lo que me lleva a especular que Amédée de Jois habrá descubierto lo que debía hacer para conseguir el elogio del Gran Rey.

Te relato la historia de Avicena porque creo que tus propias investigaciones te habrán conducido ya a una conclusión similar: Marcebru y su fin' amors *se embarcaron en un curso de acción que les impedía estar juntos jamás, excepto en la memoria. La muerte les ofreció una intensidad de experiencia imposible de conseguir de otra manera. Para disfrutar de la afinidad con el Agente de la Inteligencia era necesario desprenderse de la vida y sus grilletes.*

Tú y yo, mi querido amigo, somos prisioneros del conocimiento especulativo. No podemos desprendernos de sus cadenas. De modo que recorremos los caminos del pasado, buscamos la compañía de poetas muertos, fisgamos en su vida. Somos voyeurs, *contentos de identificarnos con el riesgo que otros corren por nosotros. Tal es la enfermedad de nuestro tiempo. Mucho me temo que ninguno de nosotros tenga el coraje de volar por encima de esas montañas, ni de requerir una audiencia con el Gran Rey. El ángel de la muerte no es amigo nuestro.*

Te hago estos comentarios en vista del atolladero al que habrás llegado en tu empeño. ¿Te diré que los cisnes vinieron en tu ayuda? Contemplando su blancura, la suprema indiferencia al vacío que los rodea esta tarde radiante, aun así percibí su desasosiego. Me estaban diciendo que la lucha es imposible, excepto para quien tiene las alas bien enceradas por la necesidad de burlarse del sol. Parecen sugerir que entonces, y sólo entonces, puede uno esperar encontrar la gloria del abismo.

Te saluda con cordialidad tu amigo, levemente encrespado pero aún con plumas.

Horace Winterton

Terminé de leer la carta. Me percaté de que, como M. de Langue, que se había retirado al silencio de su tienda beduina en su propio apartamento, Horace había tomado otro nombre no tanto para escapar de la culpa del pasado, sino por su deseo de reafirmar el poder de la renovación que confiere el anonimato.

La soledad es un difícil campamento. Las sogas que lo sostienen se ponen rígidas en las mañanas escarchadas. La gente se retira a ella cuando necesita sustento. Mis amigos Horace y M. de Langue habían hallado la manera de definir los límites de su mundo enfrascándose en lo que Avicena llamaba el Agente de la Inteligencia. Como el Gran Rey, este reino los había convertido en sus mensajeros. La cima del conocimiento se abría ante ellos, un ornamento de la fe en el poder de la mente. Para ellos, la muerte verdadera consistía en renunciar a todo lo que posibilitaba el deseo.

"El alma es una sustancia solitaria —recordé que decía Santo Tomás—. Unida al cuerpo por un afecto natural, está ubicada entre dos mundos: el mundo de la mente y el mundo de la materia. Es atraída hacia arriba por la especulación y hacia abajo por la acción." Así vaga por el espacio, por momentos como una solitaria estrella desfigurada, atraída hacia aquí y allí mientras lucha por seguir su curso. Se me ocurrió que la Hermandad no era una sociedad de uno, dos, tres o quizá cuatro miembros, sino de la singularidad de ser ella misma.

Llegué a ver mi viaje siguiendo los pasos de Marcebru como algo parecido a un sueño. Estaba equivocado. Tampoco era simplemente una cuestión de que el lenguaje sirviera de base a cualquier matiz que mi subjetividad o mis propios sentimientos acertaran a provocar. Había ido mucho más lejos ahora, más allá del amor, la muerte, el dolor y la supervivencia del poema. Lo que había empezado a encontrar era una cosecha de palabras descargada sobre las verdes tierras de Aquitania por quienes, en el pasado, no lograron entender su importancia.

Mientras tanto, había llegado a Aquitania como historiador, como arqueólogo, y me encontraba adoptando el papel de un metafísico, formulando preguntas que no tenían respuestas definitivas. Me sentía vacío, un filósofo frustrado que ansiaba oír la verdad dicha una sola vez, con sencillez y elegancia.

Casi deseaba poder escaparme de mi situación. Este rollo de pergamino, abandonado hacía mucho en un río congelado, había desorganizado mis pensamientos, mi bienestar. Erraba de lugar en lugar como un vagabundo ciego ante lo obvio, que sepultado en esas palabras, en las opiniones y creencias recogidas por Marcebru en su viaje, había algo que yo no podía ver. Ellas también eran una forma de camuflaje.

21
Río de oro

Pensaba en la minería mientras me dirigía en auto hacia Foix, un lugar que bajo el dominio del conde Raymond-Roger mantuvo fuertes lazos de simpatía con el catarismo. Fue en esta aislada ciudad de montaña donde su hermana Esclarmonde presidió como Perfecta. En el pasado, la región circundante fue famosa por la abundancia de hierro, que era extraído por mineros que trabajaban en asociación con muleteros. Entonces, aquellos hombres compraban los cubos de carbón y los llevaban valle abajo hasta las fundiciones.

Simón de Montfort se cuidó muy bien de atacar a Foix durante su campaña contra los herejes. El Tratado de París de 1229, sin embargo, obligó al conde Raymond a jurar fidelidad al rey de Francia, señalándose así el comienzo del fin de la cruzada albigense. En su mejor época, no obstante, la corte de Foix fue un refugio de herejes y trovadores. Esclarmonde y su cuñada brindaban protección a todos los que querían huir del inquisidor. Tampoco temían debatir abiertamente con clérigos visitantes sobre los méritos de su doctrina.

En el camino me detuve a tomar una copa de vino y comer un sándwich en la ciudad de Fanjeaux. Construida en las estribaciones de una colina rocosa desde la cual se obtenía una vista espléndida de la planicie de Lauragais y la Montaigne Noire, la ciudad fue un lugar sagrado en tiempos de los romanos. Su nombre derivaba de *fanum jovis*, que significa "Templo de Júpiter".

Santo Domingo visitó Fanjeaux en los primeros días en que predicaba contra la herejía. Se estableció en la aldea de Prouille en abril de 1207, donde inició una pequeña comunidad religiosa de mujeres conversas. Más tarde, un grupo de monjes tomó residencia en la ciudad de Fanjeaux. Según la leyenda, Domingo eligió vivir en Prouille después de presenciar tres veces la visión de una bola de fuego que descendía sobre la aldea desde un promontorio vecino.

El fuego era un *leitmotiv* en muchas de las leyendas asociadas con los intentos de Domingo de convertir a los cátaros. En la capilla local dedicada al santo se conserva una viga del techo como reliquia de un milagro asociado con su ministerio. Un día de invierno en que estaba debatiendo con los cátaros, Domingo le entregó a uno de sus adversarios un documento que resumía sus argumentos en defensa de la ortodoxia. El cátaro regresó a la casa de su anfitrión esa tarde y arrojó el documento al fuego, pero no se quemó. Lo arrojó tres veces al hogar de leños, pero en cada ocasión se levantó de las llamas y permaneció suspendido desde el cielo raso, chamuscando la viga que ahora se conserva en la capilla.

La extraordinaria belleza de esos valles montañosos no parecía guardar relación con la honda y prolongada discordia que asoló la región. Los mineros e hilanderos, pastores y muleteros, sastres y zapateros, las multitudes de hombres y mujeres que habitaban en estos valles en los días de Marcebru, habían luchado por sobrevivir allí a pesar de la guerra y la hambruna.

Marcebru pasó por allí en su viaje hacia el norte. Se quedó en las aldeas cátaras escuchando hablar a los aldeanos alrededor de las fogatas comunales, pidiendo a quienes sabían escribir que apuntaran sus comentarios en el rollo de muerte mientras batían manteca o reparaban chaquetones a la luz de la vela. Pues esta gente pudo haber oído sobre el cinturón encontrado debajo del hábito de Amédée de Jois al morir; noticias como ésa viajaban rápido cuando involucraban a uno de ellos.

> "Nunca he creído en la resurrección de la carne después de la muerte —escribía Guillaume, un granjero de cerca de Pamiers—. Aunque lo decían en la iglesia, yo no lo creía. Cuando morimos, sé que nuestro cuerpo se disuelve en la tierra y las cenizas. Pero sí creo en la supervivencia del alma. Los demonios arrojarán a los malvados por rocas y precipicios."

• • •

> "Tened cuidado cuando camináis —escribía Gelis, un minero de Ax— de no agitar brazos y piernas. Mantened los codos junto al cuerpo, pues de lo contrario os podéis tropezar con un fantasma. Recordad, caminamos sin saberlo entre una multitud de espíritus. Son invisibles, excepto para los mensajeros del alma."

• • •

> "He oído decir que esculpen con hachas estatuas de santos en la casa de los ídolos (es decir, la iglesia) —escribía

Bernard Gombert de Ax-les-Thermes—. Para ellos, la Virgen no es más que un pedazo de madera, sin verdaderos ojos, pies, orjeas o boca."

• • •

"Es verdad: nuestros Perfectos tienen tanto poder para absolver los pecados como los apósteles Pedro y Pablo. Quienes los sigan irán al Cielo; el resto, al Infierno", escribía Raymond Vayssière, un criador de ganado de la zona de Arques.

• • •

"Amédée de Jois guardaba un secreto. Aunque murió en Saint-Martin, creemos que era una de nosotras. Ella sabía que Dios no es más que el silencio de Dios que permanece en silencio", escribía una Perfecta llamada Gauzia.

• • •

"Nos condenamos no bien empezamos a considerar la vida como nuestra única obsesión", proclamaba la dueña del castillo de Tarascon.

• • •

"Ella poseía una identidad quebrada debido a una laceración inicial, fuente de lo múltiple, el bien y el mal", añadía una matriarca de una aldea llamada Belote.

El camino era en partes abrupto y serpenteante, y debía aminorar la velocidad en las curvas. Más allá se elevaban las ondulantes colinas de los Pirineos hacia las altas montañas, cuyas cumbres se veían blancas por las primeras nevadas. Este viejo valle glacial de escarpados picos y torres en ruinas me hacía acordar a una abandonada mesa de ajedrez en el centro de una plaza de aldea.

Al dar una curva me topé con un hombre que veía por el camino y me vi forzado a frenar de repente. Colgado de un hombro llevaba algo que parecía un cuenco grande, quizás una sartén, aunque al principio me pareció un sombrero. Estaba vestido con pantalones sucios y una camisa a cuadros de tela basta, arremangada, con botas de cordones de cuero. Alrededor de la cintura llevaba una bolsa de dormir.

Cuando pasé a su lado, el hombre me saludó amistosamente con la mano. Decidí detenerme y ofrecerme a llevarlo, pero antes de poder decir nada, él ya había arrojado sus petates, inclusive la gran sartén, en el asiento posterior y se había ubicado a mi lado.

—*Merci, m'sieur* —dijo en un francés con un fuerte acento provinciano.

—No pude dejar de notar la sartén —le dije, dejando que la curiosidad me dominara.

—*Moi, je suis un orpailleur* —me informó el hombre.

—¿Un lavador de oro? —dije, sorprendido—. ¿Todavía hay oro por estas partes?

—Provengo de una antigua tradición, *m'sieur*. El arenoso lecho del Ariège relumbra de oro desde el tiempo de los infortunios —agregó el hombre, aludiendo a la cruzada albigense—. Hay quienes nos llaman *transparents*, que quiere decir los que ven con claridad. Vagamos por esta triste y bella tierra, buscando lo que brille en la grava. Lavamos esas pepitas que contienen la memoria de la tierra. Yo soy el último, *m'sieur*. El final."

Me sorprendió la curiosa mezcla de poesía y fábula en el discurso del hombre. Hablaba en un lenguaje que era, a la vez, antiguo y misterioso. Yo no sabía cómo reaccionar, pero no necesitaba preocuparme por ello: él se contentaba con continuar su conversación como si respondiera a mis preguntas.

—No hay punto más duro que el punto del infinito, *m'sieur*. Míreme a mí, ¿eh? No me tienta casi nada, excepto el polvo de oro y lo que yace más allá de los extremos. ¿Creerá usted que las palabras son ilusorias porque están vinculadas con su deseo de detener el tiempo? Yo le digo, no hay punto más duro e inflexible que nuestro punto de vista. El tedio, sí, el tedio es nuestro mayor temor; la variedad, nuestro mayor vicio.

Sus observaciones entrecortadas, fuertes y brillantes, rebotaban alrededor del auto.

—Hay demasiados de nosotros —declaró el lavador de oro mientras avanzábamos por el camino bordeado de hojas de otoño—. Sí, hay demasiados viviendo en esta tierra. Cuantos más hay, más imágenes de lo divino encontramos en la naturaleza. Reina la confusión.

—*Monsieur le orpailleur* —empecé a decir, tratando de imponer cierto orden en nuestra conversación—. Usted es un lavador de oro. Por lo que me dice, colijo que lo ha sido toda la vida. Presumiblemente, su padre le enseñó el oficio, y los ríos de esta región constituyen su lugar de trabajo. Ha vadeado arroyos en toda clase de tiempo, batea en mano, tratando de extraer alguna partícula de un sistema extinguido. Se puede decir, sin intención de ofenderlo, que es el último que queda de su oficio, quizás un anacronismo.

—Yo pertenezco al museo de la vida —convino el hombre—. Para mí, cada pepita que descubro es una especie de poema. Cuando las recojo, siento el mismo anhelo que sentía el poeta por su *fin' amors*. Junto a los charcos rocosos espero con paciencia su gestación. El oro, sabe usted, no es sólo materia densa: es el poema de un lugar. Su manera de brillar celebra este país que amo. Yo recojo oro para la belleza de mi patria.

Esto me hizo acordar el intento de Marcebru por escribir el poema perfecto, el poema que cambiaría el mundo.

—Todos lo buscamos, amigo mío —estaba diciendo el lavador de oro, como si me leyera los pensamientos—. Han muerto muchos por él, también. Más bien, han muerto debido a él. El poema perfecto es una enfermedad divina. Se extiende por las extremidades, nos llena las venas hasta el punto de estallar, entra en nuestro pensamiento como una cabalgata.

—¿Cree que es posible escribirlo?

—Las palabras, amigo mío, son hebras de oro entre la grava. Brillan entre todo lo inerte. El poeta trabaja con esmero con su batea, lavando las impurezas y dejando las hebras. Las reúne —son los residuos más pesados— y las fusiona. Y esta fusión, la que nos da lo que más deseamos.

—¿La perfección, quiere decir? —le pregunté, pensando en Esclarmonde y todos los demás Perfectos que habían intentado lavar sus flaquezas.

—Como dije, *m'sieur*, las palabras son oro puro. Son el trabajo de la sombra, el mineral de la carencia que nos consume.

El lavador de oro prosiguió hablando enigmáticamente. Sus comentarios parecían el producto de una mente trastornada, pero a medida que sus confusas observaciones penetraban en mi mente, me fui dando cuenta de que él y Marcebru estaban emparentados de alguna manera. Su gran deseo era recobrar las innumerables imágenes pesarosas que constituyen la memoria de lo que nos falta, de lo que carecemos. Sus comentarios me trastornaron también a mí, aunque sólo fuera porque pareciera no ver diferencia entre su propio oficio y el del poeta.

—La poesía, *m'sieur*, sólo puede encontrarse en el lago de lo imprevisto. Es la clara salpicadura de invisibilidad sobre la piedra —observó el lavador de oro cuando nos acercábamos a Foix. Un castillo, con un alcázar cilíndrico como una torre de ajedrez, se elevaba sobre una colina, dominando la ciudad. Luego, de repente, el hombre cambió de tema.

—Usted viaja a Montségur, la fortaleza cátara, ¿no? Lo que allí lo aguarda es la última página de un libro. Es el libro de las muertes compartidas.

—Supongo que se refiere al lugar donde la gente fue martirizada por sus creencias —repliqué, empezando a entender la sucesión de ideas del hombre.

—La fe no es el último acto del martirio, *m'sieur*, sino denunciarla.

22

En las calles de Foix

Entramos en las afueras de la ciudad un tanto despacio. Los techos de pizarra roja reflejaban los últimos rayos de sol, resistiéndose contra su calor. Las estrechas ventanas de las casas me recordaban la larga historia de introspección de la ciudad, pues seguían repeliendo al ojo curioso. El lugar había sufrido mucho durante la Inquisición y no estaba dispuesto a entregar sus secretos fácilmente.

Fue aquí en Foix, sin embargo, donde el rollo de muerte había descendido por fin de la rocosa fortaleza de los Pirineos e iniciado su largo viaje en busca de respuestas.

Antes de dejarlo a la vera del camino, el lavador de oro me indicó una pensión. Me saludó con la mano y lo miré en el espejo retrovisor. La batea, sobre el hombro, resplandecía como una esfera en la luz del sol de la tarde. El oro estaba en su posesión, aunque sólo fuera como una medida de la luz otoñal.

No tuve deseos de abandonar mi cuarto esa noche, ni siquiera con el propósito de visitar un restaurante. Sólo el rollo de muerte tenía el poder de satisfacer mis ganas de alimentarme. Lo levanté como si fuera un menú que llevara de recuerdo de algún hotel.

Esa noche quería algo más que comida. Quería ser consumido por el fervor, ese gesto profundo del corazón por conquistarse a sí mismo. Tomé el rollo de muerte y una vez más leí en su texto los recuerdos de quienes conocieron el significado del hambre:

> "Corazón querido, sancionad esta falta de toda distinción entre el acto y la aceptación —escribía un perfecto de Foix—. Lo que yo anhelo es ser liberado del secreto de mi propia voluntad."

• • •

> "Nuestra naturaleza recibe su marca de su propio instinto, que la conduce a armonizar con lo que es noble —observaba el miembro de un gremio de la ciudad—. "Ella, la joya de Canigou, dejó que su pro-

pia liberación ascendiera y descendiera igual que una vela ante un icono de Nuestra Señora. Nada existía para ella, salvo la belleza de su propia muerte."

. . .

"Poeta, saboread el miedo. Las almendras no son dignas rivales de su exquisita acidez. Yo, que llevo en mi carro toda clase de telas de Bizancio, os ofrezco la mortaja de vuestra propia rescisión. Su hebra es nada menos que la hebra de la identidad, que se aferra a la ilusión de su propia inmortalidad. Honda es la resonancia de quien escoge su propio camino", escribía un mercader de Padua en viaje a la corte de Castilla para vender su mercadería.

. . .

"En la vida, la posibilidad es tan engañosa como una sirena", hacía notar un albañil ambulante.

. . .

"Conocí un pelícano cuyo plumaje brillaba como el sol —escribía Na Ferriara, un sanador de Prades d'Allion—. Dejaba su cría en el nido para poder seguir con mayor libertad el camino del sol. Un día, un zorro trepó hasta el nido y les arrancó las garras a los polluelos. Cuando pasó esto, el pelícano decidió esconder su esplendor y esperar al zorro entre sus polluelos. Y así el pelícano salvó a su cría. De la misma manera Amédée de Jois escondió su esplendor bajo su propia creación, para así protegerla de los bajos instintos de la supervivencia."

• • •

"El intervalo entre cada uno de vuestros pasos os divide —escribía una judía conversa que se ocupaba de predicciones—. Los gatos negros no estaban junto a vuestro cuerpo, de modo que estáis libre de su mácula. La sombra que proyectáis es una luz contra la oscuridad."

De esa manera anunciaba su intención el rollo de muerte desde su comienzo. Quería conferir a la memoria de Amédée de Jois un carácter representativo, hacer que fuera algo más que un mero registro de condolencias. Su tarea era circunvenir la ciénaga de lástima que por lo general caracterizaba estos documentos, y avanzar por un sendero diferente.

Ahora yo me daba cuenta de que el rollo de muerte estaba interesado en su propia trayectoria: en el descubrimiento del silencio más elevado cuyo significado nunca podría expresarse. Su destino era imponer un sentido de pertenencia a Marcebru y a todos los que compartieran con él sus sentimientos, incluyéndoseme a mí. Todos estábamos aunados por la verbosidad de las palabras y su afán de expresar absolutos.

Como Marcebru, este documento era mi compañero desde hacía semanas ya. Por más que estábamos próximos a nuestro destino, yo sentía que empezábamos a distanciarnos, aunque sólo fuera porque nos acercábamos al comienzo del viaje y, con él, a la perspectiva de separarnos para siempre. Entre pergamino y poeta empezaba a abrirse un abismo en el que yo me precipitaba, en el que caía a plomo, tratando de asirme a una manera de expresarme. Sabía que nada podía salvarme, salvo un acto de coraje. Debería escalar esa montaña de la cual se había desmoronado Amédée de Jois, y descubrir por mí mismo por qué había elegido hacerlo.

23
Montségur

Desde lo alto de una cumbre rocosa las ruinas de Montségur llamaban. La fortaleza cátara tenía un aspecto de desamparo; sus descoloridas almenas parecían moteadas por las manchas del desgaste del tiempo. Fue aquí, en 1244, donde Raymond de Tolosa, obedeciendo las órdenes de Blanca de Castilla, demolió la última resistencia organizada de los cátaros. Los ejércitos católicos, que ascendían a diez mil hombres, sitiaron el fuerte entre julio de 1243 y marzo de 1244.

Fueron los cátaros quienes provocaron el ataque. Un día, una desesperada banda de herejes unió fuerzas con otra de Avignonette y emboscaron a un grupo de inquisidores que se dirigían a la ciudad con la intención de establecer un tribunal. Los inquisidores fueron masacrados.

Culparon a Raymond de Tolosa de organizar el complot. Él trató de distanciarse del hecho escribiendo una carta de sumisión a Blanca de Castilla, en la que juraba vengarse de los asesinos. Durante 1243 y 1244 ardieron las hogueras de la Inquisición. Gran parte de la nobleza pereció en las llamas, entre ellos Pierre Robert de Mirepoix y la Dama de Fanjeaux.

Los herejes huyeron a Lombardía, a Bosnia, o cruzaron los Pirineos hasta España. Los líderes que quedaron se reunieron en Montségur, la ciudadela de montaña donde hacía generaciones que no pisaba ningún católico. Allí se llevaron los libros sagrados de los cátaros, con el propósito de protegerlos. Los habitantes, en su mayoría agricultores que sucumbieron a una fe que el resto del mundo optó por denunciar, decidieron defender su posición hasta la muerte antes que convertirse.

Bajo un manto de oscuridad, patrullas de montañeses experimentados escalaron el abrupto acantilado y, evitando la fortaleza al este, se establecieron en la meseta superior. Subieron por partes una ballesta, que luego armaron fuera de los muros de la ciudadela. Extrajeron pesadas rocas de una cantera vecina, para usar como proyectiles. Después de un prolongado bombardeo, finalmente abrieron brechas en los muros. Pierre Robert de Mirepoix, el líder cátaro, se rindió con la condición de que se perdonara la vida a su diminuta guarnición.

El enemigo sobrepasaba en número a los cátaros. Hombres y mujeres por igual participaron en la defensa. Hasta sus más venerados obispos, hombres como el Señor de Perelle y Guillebert de Castres, tomaron las armas. Cuando se acercaba el fin, la mayoría de los defensores recibió el *consolamentum*, rito final de la iglesia cátara, que los elevó al rango de Perfectos. Sabían que al realizar esta ceremonia se condenaban a muerte. Los aguardaba la hoguera de los inquisidores.

Aunque se había declarado una tregua, los cátaros no la acataron. Antes de escapar a su destino, parecían darle la bienvenida. En la mañana del 16 de marzo de 1244, 207 cátaros bajaron de la ciudadela a la llanura y voluntariamente entraron en la pira gigantesca preparada para ellos. Este acto final de *endura* marcó el fin de los cátaros en Aquitania. Ese día las hogueras consumieron mucho más que un pequeño grupo de Perfectos: redujeron a cenizas la idea de su resistencia. Desde entonces los cátaros sobrevivieron poco más que como una secta clandestina, sin país, cuyos libros sagrados habían sido dispersados y sus Perfectos forzados al exilio.

Durante los noventa años siguientes los inquisidores continuaron sus persecuciones a través de Aquitania, hasta que el movimiento hubo sido aplastado. La última quema de herejes, que incluyó a un Perfecto, tuvo lugar en 1330. La derrota de los señores meridionales en manos de los barones septentrionales completó el proceso. Todo lo que sobrevivió a esta cruzada fue la melancólica alegría de los trovadores.

En la Llanura de los Mártires me detuve para recobrar el aliento antes de iniciar el ascenso final a la ciudadela en ruinas. Se alzaba delante de mí una estela, erigida en 1960 para conmemorar la muerte de "los mártires en el nombre del puro amor cristiano". Seguí el sendero hacia la fortaleza, sin fijarme en la vista de las montañas de Plantaurel o del valle de Aude allá abajo. Tenía a Amédée de Jois en mi pensamiento, y su muerte era un eco silencioso entre los densos pinos al pie del despeñadero.

En lo alto, las ruinas parecían más distantes que nunca contra un sereno cielo azul. Había algo vagamente teatral en lo que quedaba de la fortaleza encaramada en la cima. Fatigado por el esfuerzo, y casi congelado, se me ocurrió que Montségur encarnaba el esplendor de la tumba.

Marcebru iba a mi lado cuando hice el ascenso final. Sus palabras yacían, esparcidas en desorden sobre el sendero. Constantemente, yo veía la imagen sin rostro de él y Amédée de Jois que descubrí en Albi, tallada en la piedra. Mi viaje con

Marcebru me había hecho cuestionar toda cosa de valor que poseía. Estaba desprovisto de la seguridad proveniente del conocimiento. Todo parecía tan carente de sentido después de las piras funerarias y los inquisidores. En última instancia, parecía que éstos y yo éramos los herejes, y no los cátaros.

La senda hasta la cumbre era empinada. La falta de aliento me provocó un leve ataque de vértigo. El ascenso y la solicitud de los condenados me confrontaban mientras me asía del pasto. Y Montségur se elevaba ante mí, sus muros tan grises como la desolación.

Traspuse el portal del lado sur. Dentro del patio había una cantidad de moradas en las que, según mi libro de viajes, se habían refugiado los defensores. El acceso a los bastiones era a través de un pasaje estrecho, por el que trepé con dificultad. Pasé detrás de un cuarto en que dos angostas rendijas en la pared opuesta dejaban pasar el sol el día del solsticio de verano. Cuando me paré en los bastiones vi que los muros como cintas formaban una estrella de cinco puntas, símbolo del bien y del mal para los cátaros, pues la única punta superior reflejaba la luz, y las dos inferiores la oscuridad, o Satanás. El antiguo simbolismo seguía aferrado a las piedras como argamasa.

Contemplé los lejanos valles allá abajo. Escalador solitario, yo estaba de pie en la cima del mundo, observando un panorama que poco había cambiado desde aquel gélido día de marzo de 1244 cuando los sitiados cátaros se prepararon para morir. La gran pira funeraria en la planicie inferior, ahora un feroz cordón ígneo, sugería una reunión silenciosa de Perfectos listos a abandonar la ronda eterna de la vida a la que habían sido condenados.

Saqué el rollo de muerte, y leí.

> "El fuego es la risa del sol, el fulgor de la futura oscuridad. Aprovechad su energía, como hizo Amédée de Jois cuando abandonó el mundo", escribía Esperte, un Perfecto de Tignac.

• • •

> "¿Podía quedar silente la Palabra de Dios frente a tal aflicción? Él ha escrito un libro incompleto, que designa nuestra muerte porque elegimos creer en su poder de no escuchar. *Él* es la víctima, pues nos ha lanzado a la deriva por atrevernos a cuestionarlo. El poste de la hoguera es nuestro refugio, postillón de nutrición, árbol de la vida al que nos aferramos para poder escapar de la muerte", escribía un diácono de Foix.

• • •

"Yo no temo a la estaca, Marcebru, ¡yo no! Pueden atravesarme el corazón con ella, por lo que me importa, pero no renunciaré a mi fe. La fe es un campo fértil segado por el ángel de la muerte. La guadaña es la mejor arma de la vida, pues ella sola puede derribar cualquier cosa que se interponga en su camino", escribía Guillaume Fort, de la aldea de Varilhes.

• • •

Beatrice de Planissoles escribió un poema breve:

"La que dijo que existir es belleza
Conocía la tarea que se había fijado
Sumergida como estaba en una gracia
Que la tierra de la esperanza evitaba".

• • •

"Para vos, Marcebru, el poema perfecto no es más que el fulgor furtivo de las brasas ya extinguidas. El fuego del inquisidor no nos causa temor, porque nosotros también estamos comprometidos con la palabra final", escribía el trovador Arnaud Vital, defensor de un hogar cátaro en Ornolac.

• • •

"La obliteración es el deseo de mi corazón. Sólo entonces seré liberada de la ronda eterna de la vida, que me ha endemoniado el alma", escribía Alazais tres días antes de morir en un acto de *endura* en la aldea de Montgaillard.

• • •

"El tema del poema perfecto es la aniquilación", decía una voz anónima.

El poema, la pira funeraria, una ruina: todos eran lo mismo. Era difícil separar la palabra de la llama y su consumación. En esta solitaria montaña rondaban los fantasmas, trepando por los pasadizos, escudriñando por las rendijas un mundo perdido. Eran los asediados. Su lápida fue el fracaso, pero en ella se inscribió una suerte de victoria.

Sólo ahora yo empezaba a entender verdaderamente lo que motivó a aquellas personas a sacrificar su vida. Como Marcebru, ellas estaban aliadas con la derrota, con la brillante hoja de la ruptura. En este último gesto de desafío expresaron lo que eran y deseaban ser. Nada podría reemplazar el sentimiento de liberación que los habrá coronado mientras las llamas les lamían los tobillos. Por una vez en la vida estaban en llamas, como antorchas vivientes de fe. No importaba que fueran herejes porque por fin eran libres. Todo lo que importaba era el fuego, y a él se ofrecían como yesca a sus anhelos.

24
En Canigou

La Abadía de Saint-Martin-du-Canigou se eleva sobre un pináculo rocoso que domina la aldea de Vernet-les-Bains, a cierta distancia de Montségur, en el cruce de caminos entre España y Francia. Fundado en el siglo XI, el monasterio consistía de una cantidad de manzanas residenciales, un claustro y una galería sobre un barranco. Más abajo, una iglesia dedicada a Nuestra Señora de la Tierra formaba la cripta de la iglesia superior, de bóvedas cilíndricas y austeros capiteles, dedicada a Saint Martin. Junto a la iglesia se levantaba una torre almenada, sus campanas silenciadas por la imponente cumbre del monte Canigou a través del valle.

Me llevó casi una hora trepar el angosto camino a la abadía, en el pasado un lugar predilecto de peregrinaje para los campesinos catalanes. El monasterio tenía un aire rústico que armonizaba con su religiosidad simple. La abadía no era un monumento a la teología ni albergaba dorados manuscritos. Presidía sobre el claustro la calma, una sensación de tranquilidad; era fácil imaginarse a Amédée de Jois en esta soledad, protegida por estas montañas y aislada del mundo por ventisqueros, meditando en el gélido aire invernal.

No encontré a nadie al entrar en el claustro. Observé el barranco y el escarpado valle que rodeaba la abadía, sabiendo que contemplaba una claridad parcialmente oscurecida ya por la sombras que proyectaban los Pirineos. Descubrí un arroyo alimentado por la nieve derretida.

Una monja se aproximó por el patio, vestida con un hábito negro con alones blancos que dominaban su velo. De cincuenta y tantos años, usaba anteojos sin aros. Una gran cruz colgaba sobre su pecho. Me dio la bienvenida con una sonrisa, extendiendo las manos como si fuera a tomar las mías. A último momento controló el gesto.

—*Monsieur* —dijo—. Canigou da la bienvenida a todos los peregrinos. ¿Piensa quedarse?

—No era mi intención —respondí, sorprendido por su ofrecimiento de hospitalidad.

—No recibimos visitantes venidos de lejos

con frecuencia. En otoño, los turistas ya han vuelto a su casa junto al fuego. Yo estoy encargada de recibir a los huéspedes. Mi tarea es hacerlos sentirse cómodos.

La monja me condujo a una habitación en el edificio junto al claustro. Desde mi ventana se veía el pico solitario del Canigou. El cuarto estaba amoblado con una cama, un escritorio, una silla. Sobre la pared había un icono de Nuestra Señora. El gastado piso de piedra irradiaba postraciones y rezos. Todos los que antes habían ocupado el cuarto parecían estar allí, observándome, cuando arrojé la mochila sobre la cama.

—Por la noche hace frío. Le traeré más frazadas —dijo la encargada de visitantes—. Supongo que habrá venido usted a hablar con la hermana Stéphanie, nuestra bendita abadesa.

—Si dispone de tiempo —respondí, agradecido de cualquier excusa para poder quedarme.

—La abadesa Stéphanie lo verá después de la cena en sus habitaciones. Yo lo llevaré allí.

Con una leve inclinación de cabeza la mujer salió del cuarto y me quedé solo con mis pensamientos, el rollo de muerte y un libro de poemas de Marcebru. Abrí este último al azar y leí:

Las galeras sarracenas podrán asediar a
Trípoli, ciudadela de nuestra esperanza

Y guardiana del *fin' amors.*
Aunque veo en estos días
La mezquindad en flor, indigna
Floración disfrazada de cortesanía,
Y doy vueltas y me retuerzo como una anguila
En una red, nunca penséis que yo,
Marcebru, no he de cantar
De verdes praderas y de frutos
Pesados sobre la rama.

Toda la alegría del mundo es nuestra,
Señora. Somos abejas en busca
Del polen, de la dulzura
Del amor que nos trae la alegría
Y la tristeza de la separación.
Duermo a vuestro lado, pero
En la distancia presido
Como un príncipe de *Outremer*
Listo para ser vuestro caballero
Y vuestra inspiración.
Vos me concedéis la vida, y yo
Pongo mi corazón a vuestras órdenes.

Cerré el libro, consciente de pronto de que Amédée de Jois estaba en la habitación, escuchando las palabras de su *fin' amors*, implorantes. La imaginé recorriendo los pasillos de Saint-Martin, levantándose el ruedo del hábito, pensando tanto en Marcebru como en Nuestro Señor. Estos dos amores eran su alegría y su carga. Y el poema, el talismán del trovador para no perderla. *Outremer* puede haber sido su destino, pero el profundo estanque espiritual de Amédée fue su hogar.

Esa tarde asistí al servicio religioso en la capilla. Estaban presentes una media docena de monjas, aunque no la abadesa. El servicio fue en latín, lo que constituía una señal de que Saint-Martin continuaba observando la antigua regla.

Más tarde comí en el refectorio con las monjas: una comida simple de verduras hervidas acompañadas de vino del lugar. Los frescos de las paredes, que representaban la Última Cena, eran del austero estilo catalán. Al parecer, también estaba allí Horace Winterton, defendiendo su primacía en la historia del arte occidental. Por cierto, evocaba un rigor no visible en estilos anteriores.

Después de la comida, la encargada de visitantes se me acercó para preguntarme si estaba dispuesto a reunirme con la abadesa. Le pregunté si no estaría enferma, o cansada, ya que no la vi en la iglesia ni tampoco en la comida. Quizá quisiera posponer nuestra conversación.

—De ninguna manera —respondió la encargada de visitantes—. A causa de sus achaques tiene dificultad en salir de su cuarto. Eso no significa que no nos acompañe en espíritu.

—¿La abadesa Stéphanie está enferma?

—La vejez, *monsieur*, es un paso de montaña, y ella no tiene deseos de tropezar.

Seguí a la encargada de visitantes hasta otra parte del monasterio, y me condujo a un cuarto de recepción vacío con una ventana de rejas en el medio, algo típico de las órdenes monacales enclaustradas. En la parte más alejada de la habitación vi una puerta.

—Aguarde aquí —me recomendó la encargada de visitantes—. Traeré a la abadesa.

Al rato se abrió la puerta y la abadesa Stéphanie entró sobre una silla de ruedas. La encargada de visitantes besó la mano de la abadesa y se retiró, dejando que nos miráramos la abadesa y yo a través de las rejas de madera. Parecíamos enjaulados juntos, uno a cada lado.

Ante mí había una mujer cuyas frágiles extremidades indicaban una edad considerable. La nariz puntiaguda sugería un carácter noble. Tenía mejillas blandas y casi no parpadeaba. Las manos, aferradas a los brazos de la silla de ruedas, parecían haber perdido la fuerza necesaria para persignarse pero adquirido en cambio algo más: eran manos de aceptación, reconciliación y confianza. El comportamiento de la abadesa Stéphanie era el de una persona que había superado el sufrimiento y disfrutaba ahora de una especie de contento negado a otros.

—*Monsieur*, tengo entendido que usted ha venido a hacer preguntas sobre Amédée de Jois —empezó diciendo la abadesa.

Alelado, me negaba a aceptar que me hubiera leído la mente y conociera mis intenciones.

—Los espíritus están en todas partes, *monsieur*. Conocen nuestros pensamientos. No es un accidente que hayan anunciado su llegada. Le damos la bienvenida en el nombre de todas las buenas almas que han vivido aquí en el pasado. La bendición puede ser contagiosa si usted permite que las piedras de Saint-Martin exhalen su hálito sobre su persona.

Sucintamente le expliqué la razón de mi viaje a Saint-Martin, informándole a la abadesa acerca de todas las personas que conocí en el camino. Le conté de qué manera me habían cambiado esos contactos, y terminé diciéndole que deseaba saber más sobre Amédée de Jois. La abadesa Stéphanie me dejó terminar la historia antes de intentar responder.

—La memoria de la hermana Amédée nos persigue —dijo.

—Debe de haber sido muy querida.

—Pertenecía a una familia noble proveniente de Castres. Un pueblo de hilanderos, por lo que es comprensible que haya entrado en contacto con los cátaros en su juventud. Sabemos que su padre, el conde Jacques, simpatizaba con su causa.

—Sin embargo, prefirió tomar un juramento como católica y no seguir a su familia en la herejía.

—Eso no es demasiado extraño —observó la abadesa Stéphanie.

—¿Cómo conoció a Marcebru?

—No sabemos nada sobre el primer encuentro, excepto que se conocieron antes de que la hermana Amédée tomara los hábitos. Según la tradición, el poeta apareció en la corte de Castres después de una estadía en España. Poco tiempo después, el poeta declaraba que Amédée de Jois era su *fin' amors*. Desde ese momento, su poesía empezó a reflejar su amor eterno por ella. No era un amor común y corriente.

—Marcebru no era un hombre común y corriente.

—Viviendo juntos ese amor único, finalmente se excedieron. Ésa es la esencia de su vida, una historia que va más allá del afecto normal entre las personas.

—Entonces ¿por qué decidió Amédée tomar su propia vida?

—"Dar" y "tomar" implican actos voluntarios, *monsieur*. Sugieren, también, nuestro deseo de formular juicios. No sabemos por qué dejó este mundo la hermana Amédée, o si lo hizo por su propia voluntad. Puede ser que no tomara su propia vida, sino que fuera elegida para morir.

—No creo seguirla, su excelencia.

—Cuando tomamos los hábitos nuestra vida queda ligada a la Trinidad, *monsieur*. Uno representa la unidad, el divino amor de Dios. Dos representa multiplicidad, las cosas de este mundo. Y tres representa el infinito, la posibilidad que todos compartimos de conocer el amor de Dios. La Trinidad vigila nuestro sufrimiento y nuestra esperanza. Cuando se encontró la forma inánime de la hermana Amédée en el fondo del barranco bajo los claustros una mañana de 1196, todo el mundo supuso que se había suicidado. Corrió el rumor por todo Languedoc de que había muerto en un acto secreto de *endura*.

—Sabemos que tenía puesto un cinturón cátaro.

—El cinturón puede haber sido un signo de antiguas lealtades, un regalo de su familia del que, por razones personales, no tuvo el coraje de desprenderse. ¿Quién puede decir qué motivos tendría para llevarlo puesto? Todos nosotros soportamos la carga de nuestro pasado. Toda la vida arrastramos el recuerdo de una pérdida, quizá también de una desilusión, como un cinturón de dolor que nos da fortaleza. Yo no puedo decir si la hermana Amédée se sintió atraída por la herejía, o si sintió la necesidad de mantener dos creencias.

—Como cátara y como católica, ¿es eso posible?

—Todo es posible, *monsieur* —respondió la abadesa Stéphanie, siempre aferrada a los brazos de su silla de ruedas—. Hablando de un modo personal, y creo que usted me otorgará ese privilegio, hace mucho ya que he aceptado que aquello en lo que creemos no tiene límites. Su amigo Marcebru hizo del poema un acto de fe. Viajó hasta el fin del mundo en su búsqueda. ¿Acaso no hizo lo mismo la hermana Amédée? Cuando mencioné antes que nosotras, las que tomamos los hábitos, estamos vinculadas por la naturaleza misteriosa de la Trinidad, omití decir que en su caso, la hermana Amédée logró transformar en exceso la idea del infinito.

—¿Murió por amar demasiado? —inquirí.

—Nosotras, las monjas, *monsieur*, dedicamos la vida al amor de Dios. No buscamos expresar el amor de otro modo. Ese amor puede ser peligroso, pues nos prescribe renunciar a todo contacto con nuestro cuerpo. Al hacerlo, nos distanciamos del amor entre el hombre y la mujer. Ésta es nuestra elección, y nuestro camino. No lo lamentamos, pero aun así . . . —la voz de la abadesa Stéphanie se apagó.

—¿Está sugiriendo que Amédée de Jois fue víctima de un doble amor? ¿El amor de Dios y el de Marcebru? —No es algo imposible. Espíritu y poeta no son tan diferentes, después de todo. Quizá se enamoró del espíritu en Marcebru. Él era su *fin' amors*. Todo lo que yo le pido, *monsieur*, es que no cuestione con demasiada exigencia la muerte de la hermana Amédée. Evite analizarla, ¿cómo le diré?, de una manera moderna. Puedo decirle que no se encontraron marcas en su cuerpo. Su caída en el barranco fue más bien una forma de vuelo que de descenso. Murió de un amor inexpresable. Por un tiempo, como es natural, el poeta trató de mantenerla viva con sus palabras, de volverla a la vida. Cuando las palabras le fallaron, debe de haber sentido su propia muerte como inminente.

—El poeta jamás renuncia al destino de la palabra. Es su razón para existir —argumenté.

—Yo me refería a la palabra que se liberaba de él, y que a él lo liberaba de la opresión.

—Lo que, supongo, sólo puede conducir al nacimiento de una profunda, insondable quietud.

—Si fuera un relicario, me lo llevaría a los labios —dijo la abadesa Stéphanie con labios temblorosos de emoción.

El silencio presidió sobre nosotros mientras dejábamos que el espíritu de Amédée de Jois entrara en la habitación. Ella estaba allí, flotando sobre nosotros con un par de alas que temblaban como las de un cuervo antes de lanzarse a plomo hacia su presa. Su caída en el barranco coronó un acto supremo de liberación, mientras que para Marcebru ella se convirtió en el poema perfecto, un verso cuyo significado iba más allá de las palabras. Para mí, también, ella era la encarnación de algo nuevo, un reconocimiento personal y una comprensión de mi lugar en el drama de Amédée y Marcebru.

Este doble amor de Amédée de Jois, tanto por el poeta como por el espíritu, era para mí el comienzo de una revelación. La muerte de Amédée sugería un vínculo entre proximidad y distancia, entre suponer y no saber, como si éste fuera el único camino a seguir. Yo había llegado a un punto en que la suma de mi vida importaba poco en contraste con una muerte que era a la par íntima, eternamente presente, y sin embargo misteriosa.

La encargada de visitantes entró en puntas de pie. Mientras tanto, la abadesa Stéphanie se había quedado dormida en su silla de ruedas. El ensueño se había convertido en su almohada.

—*Monsieur* —susurró la encargada de visitantes—, confío en haber dejado suficientes frazadas en su cuarto.

—El frío no es mi mayor preocupación —le dije.

Aturdido, me volví y caminé hacia la puerta. Más allá, el corredor estaba iluminado por una luz solitaria.

25
El puente en Ussel

Yo había llegado al final del camino. El monte Canigou se cernía sobre el paisaje, amenazador. No vayas más allá, parecía decir: el misterio que rodea a Amédée de Jois debe quedar como está. El silencio de un poeta y la muerte de una mujer no deberían importar tanto, de todos modos. Pero era así: importaban. Yo había invertido demasiado de mí mismo en sus vidas como para no sentir que tenía algo que perder. En cierto sentido, ellos eran ahora una parte de mí.

Y yo podía ser perdonado por pensar de esta manera. Contemplando el monte Canigou esa mañana, con sus escarpadas laderas moteadas ya de nieve, empecé a sentir que su solitaria grandeza no era diferente de la vida. Yo había estado demasiado ocupado tratando de justificar la muerte de Amédée de Jois para darme cuenta de que podría haber tenido un significado para quienes la conocían. La abadesa Stéphanie parecía ser de esa opinión, y había permitido que su misterio siguiera tan oscuro como antes.

En el caso de Amédée de Jois bien podía haber sido así. Su naturaleza decidió el hecho de que existiera más allá de la muerte. *Había hallado una razón para morir*. Yo nunca me hubiera imaginado que la razón de la vida pudiera ser encontrar una justificación para la muerte. Entregar la vida fue para ella un acto de gratitud. Antes de morir para renacer en otro cuerpo, como podría sugerir su tradición cátara, ella había escogido liberarse de esta ronda constante de sufrimiento, y de esa manera convertirse en un obsequio para otros.

No era raro que Marcebru hubiera optado por el silencio. Gracias a ella, él había hallado su verdadera voz. Ella fue el trueno para su relámpago. Amédée había absorbido la incandescencia de Marcebru para hacerla parte de sí misma. La decisión de Marcebru de renunciar a la poesía después de la muerte de Amédée sólo contribuía a acentuar la pérdida sentida por él. Como después de una tormenta, las emociones del poeta quedaron desprovistas de su poder para seguir reprochándole a su época como antes lo hiciera. Marcebru se convirtió en una fantasma en vida, alguien que habitaba en el silencio de la amada con un silencio propio.

A pesar de mis anteriores sentimientos de alejamiento, mi simpatía por el hombre permanecía igual. No nos separaba el tiempo ni el lenguaje, ni el ritmo del poema. Después de todo, los dos queríamos expresar el mundo como una cualidad que eludía la red de nuestros sentidos. La búsqueda del *fin' amors* como un valor capaz de transformar la vida era común a ambos. Sólo ahora me daba cuenta del profundo arraigo de Marcebru en el mundo físico. ¿No había acudido a él con la esperanza de reconciliarse con su pérdida?

Mi conversación con la abadesa Stéphanie me hizo recordar que las motivaciones de una persona no siempre están en la superficie de nuestros actos. Lo que justifica la vida de una persona no siempre es obvio. Los que viven intensamente, muchas veces dependen más de una dolorosa gestación de lo consciente que de cualquier tipo de razones normales para actuar como lo hacen. Para ellos, el pensamiento no basta. Su propósito es transformar su vida en algo de poder perdurable, esencia misma de la poesía.

"Deja que los cisnes blancos acudan en tu ayuda —oí decir a Horacio en el interior de mis pensamientos—. Su perfección cuenta más que las palabras de los filósofos."

Era una voz que me instaba a volver a Ussel, ese lugar que marcaba el fin del viaje de Marcebru y el comienzo del mío. Sabiendo lo que sabía ahora, era hora de completar el círculo que, después de todo, era el círculo del conocimiento.

Mi Deux Chevaux de repente echó alas. Rodó por caminos secundarios, circundó colinas, cruzó puentes, traspuso montañas, atravesó soñolientas aldeas, pasó junto a castillos en ruinas y bajo castaños. Siguió el curso de arroyos, corrió sobre senderos adoquinados, se detuvo ante plazas circulares, estacionó frente a cafés y se enfrió en patios de hoteles. Hizo una pausa en estaciones de servicio, levantó mochileros, aminoró la marcha delante de cruces de peatones, esperó hasta que pasaran las vacas por el camino. Y todo el tiempo transportaba sobre el asiento a mi lado un eco del viaje hecho por Marcebru y el que yo hacía desandando sus pasos.

Una vez más, Aquitania se desplegaba ante mí como un carretel de recuerdos. Una sensación de *déjà vu* se entrelazaba en cada hora del día. Reductos cátaros en las colinas, tímpanos en iglesias cubiertas de esculturas religiosas, barbacanas llenas de rendijas para flechas, modillones en muros que sostenían urnas cargadas de flores, relojes en torres que daban la hora, campanarios sin campanas, frisos con volutas adornadas con hojas, arcadas diagonales y frescos, iglesias de campo con tabiques que separaban la nave del presbiterio, megalitos y dólmenes en lechos de ríos, cavernas y gargantas y el pétreo silencio de las plazas de las aldeas: todo eso hizo de mi regreso a Ussel un viaje cargado de nostalgia para mí. El país de Oc se había trocado en su propio poema.

Mientras conducía el auto adquirí un nuevo sentido de resolución, como si en el viaje hubiera realizado algo importante para mí también. Había seguido los pasos de Marcebru a través de Aquitania como un intento por interpretar sus motivos. Los encuentros casuales con diversas personas, y los lugares que visité, todos me ofrecían una llave. Parecía como si el silencio de Marcebru se hubiera ido tornando más imperioso a medida que el rollo de muerte continuaba creciendo. Las palabras de otros se convertían en sustitutos de las de él. Marcebru había sacrificado cualquier tentativa de amparar algo de la muerte en el acto de la escritura.

En algún momento de su viaje al norte el rollo de muerte debe de haberle parecido un peso demasiado grande. La carga de llevar su mensaje a través de Aquitania hacia un destino desconocido finalmente terminó siendo demasiado. Quizás él se dio cuenta de que ni siquiera el poder de las palabras era capaz de devolverle a Amédée de Jois. Esto debe de haberlo hostigado: el saber que la vida de ella se hacía cada vez más distante, una lámpara vacilante en un coche que parte.

Soplaba un viento frío cuando llegué a Ussel al final de la tarde. Un aire helado emblanquecía los labios. La gente ya usaba sobretodo. Entré en el mismo hotel en que me había alojado antes, esperando encontrar un cuarto disponible. Tuve suerte: la recepcionista me reconoció de inmediato y me ofreció el mismo cuarto con vista al río.

—Hay una carta para usted —me dijo.

—¿Quién conocería mi intención de regresar a Ussel? —observé, intrigado por la coincidencia.

—Un hombre con una corbata de moño un tanto extravagante la trajo en mano.

¡R.! ¿Quién más que él se anticipaba a todos mis movimientos?

Subí la escalera hasta mi cuarto. Me acosté sobre mis pertenencias sobre la cama y abrí el voluminoso sobre. Adentro había dos cartas. Una, con la letra inconfundible de R., fue la primera que noté.

Amigo mío:

¡Qué viaje tan extraordinario! Bienvenido a casa. El misterio que rodea el rollo de muerte de Marcebru ha resultado ser tan sutil como las arcadas de una bóveda construida con aristas de encuentro. Envidio tu paciencia. Has levantado un edificio único, que —estoy seguro— resistirá los embates del tiempo.

Pero ¡basta! El rollo de muerte ha sido tu compañero constante. Te ha conducido a todos los rincones y resquicios de la mente medieval. ¡Hombre afortunado! Ojalá yo pudiera decir que conozco a los albañiles de antaño tan bien como tú pareces conocer a Marcebru y su gente.

El rollo de muerte es un sendero abierto a través de la espesura de la angustia. La gente simplemente no sabe cómo reaccionar ante la muerte, excepto recurriendo a pías condolencias. Como sabes, éstas no son dignas rivales de la mera omnipotencia del vuelo del alma, que se deleita con la distancia que pone entre sí misma y la existencia.

Lo que quería decirte es esto: el estudioso que tradujo el rollo de muerte pasó a mejor vida. Su salud declinó rápidamente después de tu partida. Era casi como si, al entregarte el rollo de muerte, te hubiera dado al mismo tiempo su vida. Murió hace una semana, satisfecho con su tiempo sobre la tierra, susurrando algo sobre la endura mientras se sumergía en la inconsciencia.

Pero esto fue después de pedirme que te hiciera llegar la carta que acompaño. Me pidió que te la entregara, sin abrir, alegando que contenía los pasajes finales del rollo de muerte, que no había traducido todavía cuando te lo dio. Sus últimas palabras fueron: "Dele esto a su amigo. Dígale que es la traducción de ciertas páginas que, me temo, podrían cambiar el mundo". Dijo que tú entenderías.

Encomiendo estas páginas en su nombre. No muchas veces he sido una especie de mensajero divino. Permíteme asegurarte que el estudioso creía que eran pertinentes para tu investigación.

En Inglaterra, cuando regreses, tratemos de reunirnos en la catedral de Salisbury. Estoy seguro de que su elegancia generará pensamientos dignos de la gran altura de su crucero.

Una vez más, amigo mío, adieu.

Devolví la carta a su sobre. Puse la otra nota sobre el escritorio, sin abrir, preguntándome por qué el viejo estudioso habría retenido esas páginas hasta ahora. El saber que estaba a punto de morir puede haberlo instado a completar un trabajo de toda la vida y pasárselo a otro. Si era la última parte del rollo de muerte, apenas me atrevía a leerla. En cambio, recordé los versos del primer poema leído en el rollo de muerte hacía algunas semanas, escrito por Willemus. Sus palabras afloraron en mis labios:

Tocad su ruedo, sobre el que las frases son filigrana.
Hay más en la vida que la muerte.

¿Habría versos capaces de igualar la belleza de éstos como medida de la admiración de un poeta por otro? Por fin junté coraje para abrir el segundo sobre. Al leer me di cuenta de que el estudioso me había legado un penetrante elogio que celebraba la batalla de un hombre con su sueño de crear el poema perfecto:

Es difícil convivir con el silencio
Puesto que el verdadero silencio es la muerte.
He viajado a Palestina
Y a España, yo, Marcebru,
En busca de un desierto
Capaz de contener a quien soy.
Entre pérfidas piedras
Acechaban voces, pequeños escorpiones
De deleite ávidos por envenenarme
Con el aguijón de sus palabras.

Reina de mi corazón, dispensadme
Ungüentos para curar esta herida:

En el amor honorable, una espada
En la garganta de la decepción
Lista para defender la Juventud, hija
De este mundo y del siguiente,
Campeona de gestos
Que me hacen anónimo,
Sí, un pozo sin agua.

Vaciado de mi propósito
Vos me habéis hecho completo;
El gran poema que he usado
En todo clima cuelga ahora
En harapos sobre mis hombros.
Yo, Marcebru, acecho los altos desfiladeros
Donde se ocultan los bandidos, listos
Para robar mis viejas monedas
Acuñadas en la fundición del sentido.

La muerte tiene su propio dulce néctar,
Y la vuestra sabe a fruto maduro.
Me detengo junto al puente de Ussel
Rememorando nuestro amor, alimentado
Por la distancia y el conocimiento
De que pasado y futuro están unidos.
Concededme la remisión de esta soledad
Y de las frías manos del tiempo
Que me aferran la garganta.

Llevadme, marmitón de la vida
En la paga de la poesía, el canto
Y la gloria del *fin' amors*,
Hacia la cumbre de una
Montaña, desde la cual una senda
Parte y otra regresa.
Sostengo vuestra mano, peregrino
En el camino a una victoria
Más intensa que el pensamiento.

"Una victoria más intensa que el pensamiento", repetí una y otra vez. Esa victoria —me daba cuenta ahora— era la que yo esperaba lograr sobre la futilidad de la expresión. Marcebru, al parecer, había oído mi llamada, reconociendo en mí el deseo de ir más allá del lenguaje en mi intento por expresar el más difícil de los temas: el de la importancia de la moderación como principio y atributo del discurso.

Sin embargo, Marcebru me había dado esto: a sí mismo, *orpailleur* del lenguaje, transportista en su cofre de tesoro de las gemas que hacen el poema perfecto, traductor de la piedra Rosetta, portador de marcas de agua, armero de la expresión, fundador de hermandades, crítico de falsos amores, pintor de ruinas, observador de bolas de fuego, encubridor de nombres, escultor de imágenes sin rostro, soñador de lagartijas, blanco amigo, poeta cortesano, cantor y agudo observador de cisnes.

Percibí su presencia en el cuarto, poderosa y sin embargo remota. Era como si Marcebru hubiera dejado el rollo de muerte a mi cuidado. Afuera, la noche había adquirido ya su frío de invierno; el río reflejaba la luz de las ventanas del hotel. Marcebru y yo, los dos, compatriotas de la palabra, estábamos invernando en el recuerdo. El rollo de muerte era nuestro lazo. Estábamos unidos por sus páginas y por su destino.

Me puse el abrigo. Levantando el rollo de muerte y el último poema de Marcebru, me dirigí a la puerta. No había adónde ir, salvo hacia las calles de Ussel. Di vuelta la esquina y caminé hasta el puente. Las luces de la calle brillaban límpidamente. Delante de mí, el elevado trecho del puente se aferraba a cada orilla del río como cables de un barco recién amarrado. ¿Cuántas generaciones de personas habrían caminado sobre él, ignorantes de lo sucedido en este lugar?

Me incliné sobre el muro y contemplé el río. Estaba inmóvil, como el hielo. Me pregunté si ya se habría congelado. De repente supe lo que quería Marcebru, y por qué yo había sido arrastrado a este misterio. ¡Por supuesto! El rollo de muerte era un poema escrito por hombres y mujeres en conmemoración de sus propios fracasos y limitaciones, sus propias victorias y triunfos. Todos éstos eran los temas, la contribución a una forma única y eterna. Por alguna misteriosa razón, yo también había sido convocado como su custodio, logrando así para ellos un lugar en la historia de la pérdida de Marcebru.

Inhalando hondo, extendí las manos sobre el parapeto y arrojé el rollo de muerte al río. Empezó a hundirse despacio, un casco de barco en el acto postrero de irse a pique. Observé cómo se alejaba del puente, girando mientras se iba, ondeando, haciendo piruetas en la corriente. Flotó río abajo, desplegando sus páginas: un pimpollo de palabras. Arriba, las luces del hotel brillaban sobre lo que ya era un texto sumergido a medias. Por fin desapareció en la oscuridad.

26
En la Catedral

Así volví a Inglaterra y a mi cita con R. en la nave de la catedral de Salisbury, entre las efigies de obispos y caballeros esculpidos en espléndido mármol. A esa reunión invité también a Horace Winterton, rogándole que se alejara de sus cisnes y de las soñolientas aguas del Támesis.

—Por lo que nos has dicho —observó Horace—, no hay fin para ese documento que arrojaste al agua.

—Sentí que Marcebru no deseaba que su fracaso desfilara ante el mundo —respondí.

—Ah, el río de los secretos —añadió R., arreglándose su corbata de moñito—. Sin él, ¿dónde recuperaríamos lo que más deseamos?

—¿No sentiste remordimientos de conciencia? —preguntó Horace, consciente de la carga de responsabilidad sobre mis hombros.

—Vamos, vamos —interpuso R.—. Por más arriesgado que fuera su gesto, el rollo de muerte ya había sido antes consignado a las aguas. Todo lo que hizo nuestro amigo, Horace, fue recapitular en forma simbólica el acto final de Marcebru. Ahora el documento descansa en paz.

—Fue un impulso de mi parte, nada más —dije, defensivo.

—Digamos que actuaste en el mejor interés del poeta. —Horace trataba de aliviar mi angustia.

—¡Qué consuelo! —acotó R., reprendiéndome.

Los dos tenían parte de razón. Era como si la piedra Rosetta y el rollo de muerte de Marcebru reposaran en la misma seductora cámara. Ambos presidían sobre el significado. Todo lo que yo hice fue penetrar en su soledad y tocar una campana. Entre ellos yacían, lado a lado, Marcebru y Amédée de Jois, dos efigies en la flor de la vida, su candor mío ahora.

—Te darás cuenta de la tarea que te espera —observó Horace.

—¿De qué se trata? —quiso saber R., levantando la mirada para contemplar el cielo raso abovedado que amaba, intrincado pero calmo.

—De alguna forma, nuestro amigo debe hacer reposar lo que nosotros, cada cual a su manera, desató sin querer —especificó Horace.

—Estoy de acuerdo en que, por su misma naturaleza, la perfección es una cuestión de extrema gravedad —añadió R.

—Por esta razón, al parecer, Amédée de Jois no tenía más alternativa que descender.

La observación de Horace poseía todas las características de su aguda inteligencia. Sólo él podía reconocer que la gravedad y la perfección no son opuestos. Amédée de Jois fue abrumada por su propio deseo de ir más allá de sí misma, y ni siquiera la tentativa de Marcebru de aprehenderla en un poema podía evitar su caída.

—Yo sé cuál es mi tarea —dije.

—Ah, dínosla. —R. me tomó del brazo y los tres procedimos a caminar alrededor del nártex de la catedral. La luz que entraba por los ventanales se mezclaba con nuestros pasos.

—Bienvenido a la Hermandad —dijo Horace, recordándonos de la solitaria vigilia de M. de Langue en Carcassonne.

—Déjenme que les diga que mi experiencia reciente me ha desconcertado —empecé diciendo—. Acechar a un poeta no es caza menor. Su veleidad y su astucia me recuerdan el comportamiento de ciertos animales que se deleitan en eludir al cazador. Pienso en los pumas. Más todavía: su predilección por el "estilo cerrado" en cuestiones de expresión me recuerda el escondrijo del ornitorrinco, cuya entrada está debajo de la superficie de un estanque. Esa curiosa criatura sólo se nos presenta sumergida.

—Igual que Marcebru, inmerso en sus poemas —dijo Horace.

—Ahora sé lo que significa para mí —seguí diciendo—. Sus pasos a través de Aquitania participan de algo inconmensurable. Buscó remedio para su dolor pidiendo a todos los que encontraba en su camino que compartieran con él su destino. Con el tiempo se fue revelando ante él una nueva visión de la mujer que amaba, cuya naturaleza se convirtió en un objeto diestramente cincelado. Por último, la mujer que antes conocía desapareció bajo un pergamino de palabras, y en su lugar surgió otra persona. Eso era más de lo que él podía aceptar.

—¿Terminó sintiéndose resentido con ella? —R. parecía incrédulo.

—Marcebru empezó a darse cuenta de que la había aprisionado en el lenguaje. Ella, la víctima, pasó a ser su carcelera. El deseo de Amédée de poner fin a su vida lo fascinaba y repelía a la vez. Al principio el significado de aquel acto lo eludía: a él, príncipe de la expresión. Luego vio que al abandonar los argumentos en favor de la acción, Amédée de Jois lo alertaba, haciéndole ver aquello de lo que carecía.

—Y ¿qué podría ser eso? —preguntó Horace, rozando levemente con la mano, al pasar, la efigie de una tumba.

—Su humanidad —respondí.

Mis amigos detuvieron su andar. Sin decir una palabra, me miraron primero a mí, luego se miraron el uno al otro. Yo no me imaginaba qué pensarían. ¿Que yo estaba denunciando al objeto de mi obsesión? O, más importante aún, ¿que estaba traicionando a Marcebru en el momento en que más me necesitaba?

—Mencionaste que viste la piedra Rosetta —observó Horace, con la intención de cambiar de tema y así calmar la tensión.

—Todos esos intentos por aclarar lo que queremos decir —sostuve, recordando la dedicación de Champollion, de toda una vida, al estudio de idiomas muertos— son los que finalmente trastornaron a Marcebru. Él ansiaba vivir la vida con la misma intensidad con que la expresaba. No quería verse reducido a unas pocas inscripciones indescifrables sobre un trozo de basalto. No. Sabía que si debía elegir entre el lenguaje y la vida, entonces no tenía más alternativa que escoger la segunda.

—Y entonces tiró el rollo de muerte al río como un gesto de autorreproche —observó R.

—Con toda la delicadeza de una jabalina —agregó Horace.

Ya estaba dicho. Marcebru terminó abandonando a un amor imposible en favor de la vida. Su humanidad dependía de ello. Fuera lo que fuese lo que los cátaros representaran, no era precisamente la exuberancia fundamental que atraía a Marcebru. Fuera lo que fuese que Amédée de Jois representara, no era el poder que lo impulsaba a expresarse. *Endura* no era el acto de liberar el alma de la prisión del cuerpo sino, sobre todo, una ratificación del temor a la vida.

—Te saludo, amigo mío —anunció R., soltándome el brazo—. Pocos de nosotros logramos penetrar en una época trágica, como hiciste tú, y emerger ilesos.

—Ah, pero no es así —repliqué.

Horace detuvo su marcha hacia la salida de la catedral. Se volvió.

—Creo que no estás herido ni enfermo —dijo.

Meneé la cabeza. Al mismo tiempo, sabía lo que tenía que hacer: renovar el estado consciente mediante un acto prolongado de meditación y coraje. Debía volver a acercarme al telar de la vida, como hizo Marcebru antes que yo, y tejer con él un trozo de género cuyos diseños reflejaran toda la discordia de nuestra época. Después de todo, se debe proveer al corazón de una nueva vía de liberación en la que puedan entremezclarse la necesidad y la libertad. Sólo entonces podría hacerle justicia a la memoria de Marcebru, y a su intento por dar un carácter anónimo a la caída de Amédée de Jois.

—La recuperación no depende de si uno está enfermo o no —dije. Y saliendo de la catedral caminamos en la tenue luz del sol.

fortz mas derseus uos sentz
orutz. Que uos confon ac
minat lieoing. per ques io
uens astrop baudiz. e uos en
pellon cor nutz.
Os uei que dambas las partz
nems. bauzatz. per lauzen
giers de cutz. Anpur elens m
ma non pose limer del fen
Quen lasma enlazatz. ve
lauoleza coe dutz.
Aver erratres uan de sil. p
iouens ques clama uenautz
Lomais el plus apenas ao q